L'EAU EN DANGER ?

DOMINIQUE ARMAND

LES ESSENTIELS MILAN

Sommaire

Les mots suivis d'un astérisque (*) sont expliqués dans le glossaire.

L'eau, notre bien le plus précieux

De toutes les ressources de la Terre, l'eau est la plus essentielle. Elle est utile à tout et à tous, indispensable à la vie elle-même. Elle a été chantée et même déifiée par les hommes qui, pour autant, ne l'ont pas beaucoup respectée. Ils l'ont considérée trop souvent comme un bien inépuisable et l'ont traitée sans ménagement, la consommant sans compter, la polluant sans s'inquiéter.

Aujourd'hui, l'eau est malade des hommes. Face au risque de pénurie qui menace désormais la planète, elle devient un enjeu de taille, une ressource proprement stratégique sur les plans économiques et sanitaires. Chacun convient enfin de la nécessité de la protéger et d'en user avec plus de discernement.

Dans cet ouvrage, nous montrerons en quoi l'eau est une ressource indispensable à l'humanité. Et nous analyserons les causes des difficultés grandissantes que connaissent les nations pour s'approvisionner en eau de qualité.

« L'eau est la chose
la plus nécessaire
à l'entretien
de la vie,
mais elle peut
facilement
être corrompue.
Elle a donc besoin
que la loi vienne
à son secours.
Voilà la loi
que je propose :
quiconque sera
convaincu
d'avoir corrompu
l'eau d'autrui,
eau de source
ou eau de pluie,
ou de l'avoir
détournée,
outre la réparation
du dommage,
sera tenu
de nettoyer la source
ou le réservoir
conformément
aux règles prescrites
par les interprètes. »
Platon, *Les Lois*,
livre VIII.

Un corps composé

L'eau est un corps chimique, une substance, une matière. Parce que sa présence est vitale et ses propriétés exceptionnelles, elle a de tout temps passionné les hommes.

Les atomes

Tous les corps, qu'ils soient naturels ou fabriqués par l'homme, sont composés de l'empilement plus ou moins régulier de particules microscopiques, les atomes*. Ceux-ci sont tous constitués d'un noyau dense porteur d'une charge positive, autour duquel gravitent des électrons, des particules élémentaires* porteuses d'une charge négative.
Peu d'atomes sont suffisamment stables pour rester seuls. Ils s'associent spontanément les uns aux autres en fonction de leurs affinités réciproques.
Chaque combinaison d'atomes donne naissance à un nouveau corps, aux propriétés originales. Bien que le nombre d'atomes soit limité, il existe une multitude de corps, autant que de combinaisons possibles d'atomes.

Les molécules

Dans la matière, les atomes s'associent soit collectivement en très grand nombre (comme dans les métaux), soit en nombre fini. Un ensemble fini et stable d'atomes disposés selon un motif précis est appelé une molécule*.

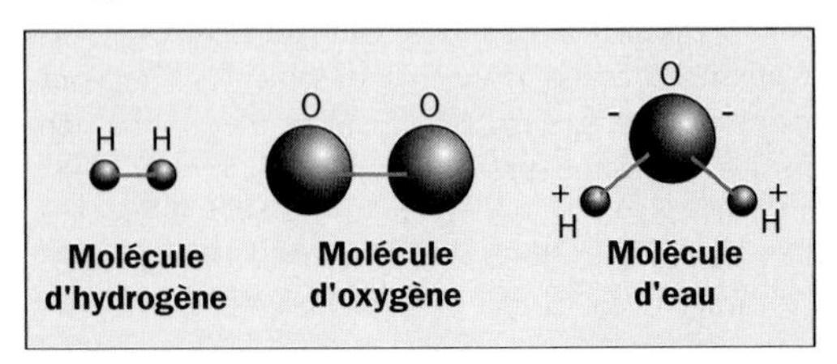

Molécule d'hydrogène
Molécule d'oxygène
Molécule d'eau

L'oxygène est un corps simple formé de molécules toutes identiques, composées de deux atomes d'oxygène liés entre eux (*voir* schéma). On le représente par le symbole O_2 (O pour atome d'oxygène). De même, l'hydrogène est un corps simple dont chaque molécule, notée H_2, est constituée par l'association de deux atomes d'hydrogène (*voir* schéma). L'eau, en revanche, est un corps composé dont la molécule de base, la molécule d'eau, est formée d'un atome d'oxygène lié à deux atomes d'hydrogène ; on la note donc H_2O (*voir* schéma).

Un ion
Un ion est un atome qui a perdu, ou acquis, un ou plusieurs électrons ; il porte de ce fait, selon le cas, une charge positive ou négative.

La liaison chimique

Lorsque deux atomes s'associent dans une molécule, ils mettent chacun en commun un, voire parfois deux ou trois électrons. Ces électrons équitablement partagés forment une sorte de liant qui assure la cohésion de l'assemblage. On appelle cela une liaison chimique. C'est ce qui se passe dans les molécules d'hydrogène et d'oxygène.
Mais certains atomes sont si friands d'électrons et d'autres si décidés à en céder que, lorsqu'ils se rencontrent, ce n'est plus un partage mais un véritable transfert d'électrons qui se produit entre eux. Chaque atome se transforme alors en un ion. En un ion positif, pour celui qui cède un électron et en un ion négatif pour l'autre – tous deux étant liés par une force d'attraction électrostatique. Ils forment alors ce que l'on appelle un sel*.

L'eau est un corps composé. L'unité de base qui la fonde est une molécule formée d'un atome d'oxygène associé à deux atomes d'hydrogène.

H_2O, une molécule polaire

Dans le cas de la molécule d'eau, la situation est intermédiaire : les électrons responsables des liaisons sont bien partagés mais de manière inégale. Si bien que la molécule présente une dissymétrie dans la répartition des électrons et donc dans la répartition des charges : on dit que cette molécule est polaire. Ce caractère lui confère des propriétés très importantes à l'état liquide et solide.

Sur la terre dans ses trois états

Toute substance peut exister à l'état gazeux, liquide ou solide, tout en conservant son identité chimique. En principe, pour qu'elle passe d'un état à l'autre, il « suffit » de la soumettre aux conditions de température et de pression adéquates.

L'agitation thermique

Au sein de toute matière – qu'elle soit solide, liquide ou gazeuse – les particules de base, atomes* ou molécules*, sont animées d'un mouvement incessant dont l'énergie varie en fonction de la température. Plus celle-ci est élevée, plus l'agitation est importante, la température étant une sorte de traduction macroscopique de cette agitation microscopique.

La vapeur d'eau

Sans cette agitation, il n'y aurait pas de gaz car les particules tomberaient sous l'action de leur poids. Au contraire, leur énergie d'agitation est suffisante pour leur permettre de se déplacer dans le vide, partout et en tout sens. Il en est ainsi de la vapeur d'eau : si nos yeux nous le permettaient, nous assisterions à un fantastique ballet de molécules d'eau, à la chorégraphie très désordonnée et en apparence aléatoire. Comme tous les gaz, la vapeur d'eau est compressible car le vide entre les molécules rend possible leur rapprochement. Elle est également expansible car l'agitation thermique permet aux molécules qui la composent d'occuper tout le volume mis à leur disposition.

Sous quelle forme ?
Au niveau de la mer, l'eau est liquide lorsque la température se situe entre 0 °C et 100 °C ; elle gèle en dessous de 0 °C et se change en vapeur d'eau au-dessus de 100 °C.

Un liquide très fluide

Si l'on comprime beaucoup la vapeur d'eau, les molécules se rapprochent de plus en plus les unes des autres et l'agitation thermique de chacune d'elles se limite bientôt, dans un espace restreint par les molécules voisines, à de simples oscillations. La vapeur s'est alors condensée en liquide. Si au lieu de comprimer on refroidit cette vapeur d'eau, l'agitation des molécules diminue jusqu'à ce que, l'action de leur poids l'emportant, elles se rassemblent sous forme liquide au fond du récipient. Grâce au caractère polaire de la molécule d'eau (*voir* pp. 4-5), des liaisons particulières s'établissent entre les atomes d'hydrogène et d'oxygène de molécules voisines, dont les charges, de signe contraire, s'attirent. La structure de l'eau liquide n'a pas encore été établie mais il est certain que ces liaisons intermoléculaires, dites liaisons hydrogène (*voir* schéma ci-contre), sont à l'origine de certaines propriétés exceptionnelles

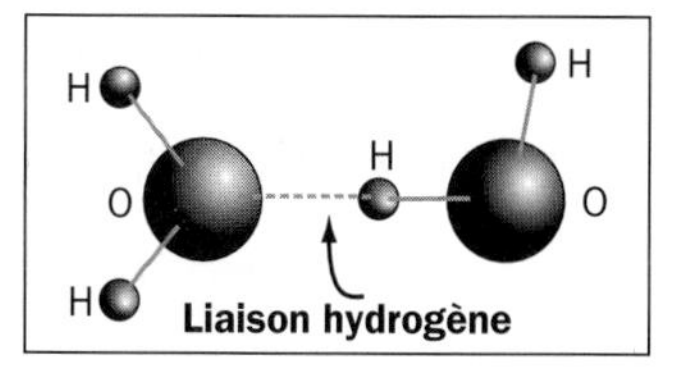

Liaison hydrogène

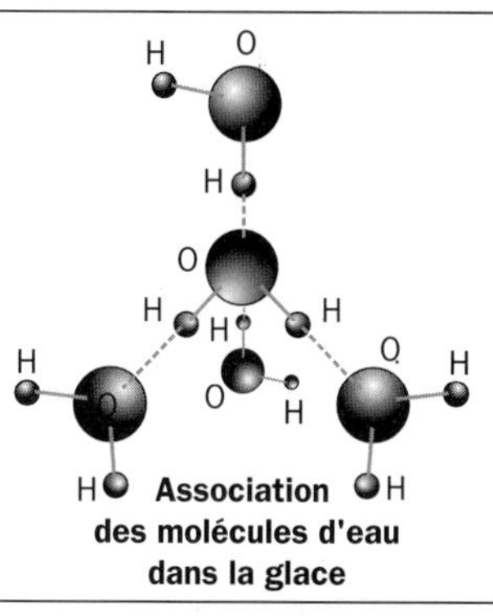

Association des molécules d'eau dans la glace

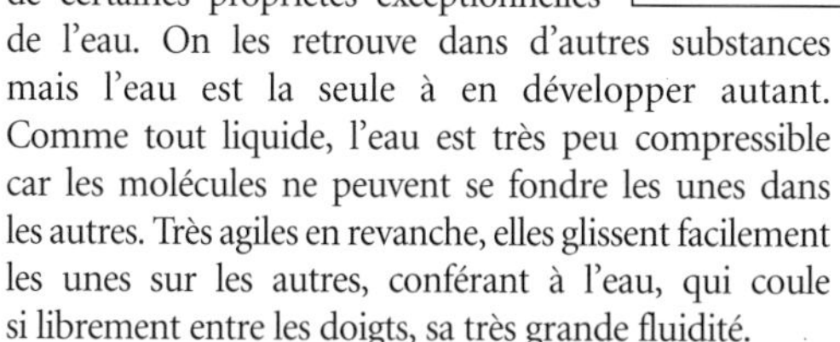
de l'eau. On les retrouve dans d'autres substances mais l'eau est la seule à en développer autant. Comme tout liquide, l'eau est très peu compressible car les molécules ne peuvent se fondre les unes dans les autres. Très agiles en revanche, elles glissent facilement les unes sur les autres, conférant à l'eau, qui coule si librement entre les doigts, sa très grande fluidité.

> L'eau est le seul corps naturellement présent dans ses trois états sur notre planète. Unique en son genre, elle est capable de développer en son sein un très grand nombre de liaisons hydrogène.

Un solide cristallisé

Si l'on comprime ou si l'on refroidit cette eau, elle se transforme en glace. L'agitation thermique se réduit alors à une vibration des molécules autour de positions fixes. Dans la glace, toutes les molécules d'eau sont reliées entre elles par des liaisons hydrogène. Elles s'organisent selon une structure ordonnée où chacune est en relation avec quatre voisines (*voir* schéma ci-dessus). Il n'existe aucun désordre dans la glace : on dit qu'elle est cristallisée.

Des propriétés exceptionnelles

Sans certaines des propriétés remarquables de l'eau, non seulement nous ne serions pas là, mais notre environnement ne serait pas ce qu'il est.

D'une grande stabilité

L'eau est une substance extrêmement stable. Depuis l'origine de la Terre, même si elles ne cessent de changer d'état, ce sont toujours les mêmes molécules* qui participent au cycle hydrologique. Il est extrêmement difficile de casser une molécule d'eau et de séparer les atomes* d'hydrogène et d'oxygène qui la composent.

Un solide « léger »

Contrairement à tous les autres corps, dont la densité décroît lorsqu'on passe du solide au liquide puis au gaz, la glace, eau à l'état solide est moins dense que l'eau liquide. C'est ce qui explique que la glace flotte sur l'eau (comme les icebergs détachés de la banquise), que les rivières et les lacs gèlent d'abord en surface et que, lorsque l'eau gèle, récipients et canalisations éclatent.

Plusieurs hypothèses s'affrontent encore aujourd'hui pour expliquer ce qui se passe lorsque la glace fond. Pour certains, c'est la déformation des liaisons hydrogène (*voir* pp. 4-5) devenues souples – pour d'autres c'est leur rupture – qui permettrait un rapprochement des molécules et expliquerait que l'eau liquide soit plus dense que la glace.

Un excellent solvant

L'eau est la seule substance capable de dissoudre autant d'autres corps. Elle dissout par exemple très bien les sels*, dont les ions chargés attirent les molécules polaires de l'eau (*voir* pp. 4-5).

Celles-ci forment alors, autour de chacun d'eux, un véritable écran protecteur qui les isole et leur permet de se disperser dans la solution. L'eau dissout également très bien les solides formés de molécules polaires (tels que le sucre, l'urée…), avec lesquelles les molécules d'eau se lient facilement par liaisons hydrogène.
Ainsi, au cours de son incessant périple, glissant et s'infiltrant, l'eau dissout peu à peu les roches, érodant le calcaire ou réduisant le granit en sable fin. Ce faisant, elle se charge de tous les sels minéraux solubles qu'elle rencontre. C'est pourquoi l'eau n'est jamais pure à l'état naturel.

Un régulateur thermique

L'eau est capable d'emmagasiner, sous forme de chaleur, de grandes quantités d'énergie qu'elle peut ensuite restituer en refroidissant. Cette capacité de stockage confère aux grandes masses d'eau des océans un rôle de régulation thermique très important pour le climat : les eaux océaniques accumulent en leur sein l'énergie solaire, qu'elles peuvent ensuite libérer continûment dans l'atmosphère.

Brûler les déchets, sans flamme ni fumée
À 374 °C et sous forte pression, l'eau devient un solvant encore plus universel. Une fois dissous dans ce bain, certains résidus ménagers, industriels ou pétroliers, pourraient alors être facilement détruits sans faire de nouveaux déchets.

D'une puissance extraordinaire

Parce qu'elle est quasi incompressible, l'eau a une grande capacité de transmission de l'énergie. Au cours de sa circulation terrestre, grâce à l'action de la pluie heurtant les sols et à la capacité de l'eau courante à charrier sable et rochers de toutes tailles, elle transforme les terrains. Sous forme de jet à haute pression, elle possède une telle dureté qu'elle peut perforer pierre, métaux et plastiques.

Plus dense à l'état liquide qu'à l'état solide, pouvant déployer une grande puissance, l'eau est également un solvant exemplaire et est capable d'emmagasiner puis de restituer beaucoup de calories.

À l'origine de la vie : l'eau

L'eau a pu subsister sur la Terre grâce à la distance privilégiée, ni trop près, ni trop loin, qui sépare notre planète du Soleil – une position unique dans le système solaire.

La naissance de l'Univers

Notre Univers serait né il y a 15 milliards d'années, d'une gigantesque explosion, le big-bang. Depuis, il ne cesse de s'étendre et son expansion régulière s'accompagne de la formation et de la mort incessantes de quantités d'étoiles. C'est ainsi qu'il a donné naissance, il y a 5 milliards d'années, à notre étoile, le Soleil.

La naissance de la Terre

La nébuleuse* qui a participé à la formation de notre planète, il y a 4,5 milliards d'années, contenait déjà vraisemblablement des molécules* d'eau. Cette eau aurait été apportée sur la Terre par le bombardement intensif de météorites* qui dura plusieurs centaines de millions d'années. La température était alors tellement élevée que l'eau se changea en vapeur, faisant éclater les roches.

La formation des premiers océans

Progressivement, la Terre commença à se refroidir. Sa surface céda, des volcans apparurent, crachant de la vapeur d'eau et des gaz (dont du gaz carbonique*). La vapeur d'eau se condensa, formant une enveloppe nuageuse autour de la planète, puis elle commença à se déverser en pluies diluviennes. Cette activité se poursuivit pendant plusieurs dizaines de millions d'années. La Terre se couvrit peu à peu d'eau, jusqu'à former un immense océan. Sur les sols non immergés, l'eau ruissela, ravinant les terrains, créant des fleuves, creusant des vallées, érodant et modelant la planète.

Ouf !
Sans eau, la Terre serait comme la Lune, une planète morte.

Effet de serre
Phénomène empêchant une partie du rayonnement infrarouge émis par le globe terrestre chaud de s'échapper dans l'espace. Il a pour conséquence un réchauffement des basses couches de l'atmosphère.

La constitution de l'atmosphère

L'atmosphère originelle, très riche en gaz carbonique, créait un véritable effet de serre (*voir* encadré ci-contre), maintenant la Terre à une température élevée. Mais elle aussi se transforma peu à peu. Grâce à la dissolution du gaz carbonique dans les eaux de pluie, elle devint moins opaque au rayonnement infrarouge terrestre ; ce dernier put s'échapper dans l'Univers et permettre à la Terre de poursuivre son refroidissement, jusqu'à une température voisine de celle dont nous bénéficions aujourd'hui.

L'apparition de la vie

L'ozone
C'est un corps simple gazeux dont la molécule (O_3) est formée de trois atomes* d'oxygène (O) liés entre eux. Présent dans l'atmosphère, il absorbe certains rayons ultraviolets dont il protège les êtres vivants.

Tout au long de ces titanesques transformations, l'eau océanique s'enrichit progressivement des multiples constituants de la croûte terrestre apportés par le ruissellement de l'eau sur les sols. Au cœur de cet océan primordial, bien à l'abri du rayonnement ultraviolet solaire, apparurent, il y a de cela plus de 3 milliards d'années, les premiers organismes vivants – des algues et des bactéries. Grâce au processus d'échange chimique appelé photosynthèse*, ces algues commencèrent à produire l'oxygène indispensable au développement d'une vie plus complexe. L'atmosphère s'enrichit progressivement en ozone, créant une couche protectrice contre les rayons ultraviolets. La vie commença alors à envahir la terre ferme des continents. C'était il y a 500 millions d'années…

L'eau était présente dans l'Univers bien avant la naissance de la Terre. Elle a ensuite accompagné et participé à toutes les transformations de notre planète, jusqu'à l'apparition de la vie.

Notre Terre, une planète bleue

Aux astronautes qui ont la chance de pouvoir l'observer de très loin, la Terre paraît bleue. Cela n'a rien d'étonnant, car les trois quarts de sa surface sont recouverts d'eau.

Que d'eau, que d'eau !

L'eau fait l'un des charmes de notre planète. Il est des eaux qui scintillent sous les rayons solaires et d'autres qui se cachent, inaccessibles au regard.
Certaines, instables, sont en transit permanent : elles courent, dévalent les montagnes ou glissent lentement en direction des mers. D'autres encore sont sages, sans mouvement, comme endormies : elles stagnent, au repos.

Eaux superficielles et eaux souterraines

Les eaux de surface (eaux superficielles) sont pour l'essentiel, les mers et les océans.
Quatre grands océans et des mers, beaucoup plus nombreuses mais plus petites, dont la plus importante est la mer Méditerranée.
Ces eaux ne se mélangent pas facilement.
Mais avec les courants engendrés par les différences de température ou de salinité (quantité de sel) des diverses masses d'eau, et avec les marées qui résultent des attractions réciproques Terre-Lune et Terre-Soleil, elles bougent cependant.
Les eaux superficielles, ce sont aussi les cours d'eaux, rivières, fleuves, lacs

Les quatre grands océans
Ce sont l'océan Pacifique, le plus grand et le plus profond, l'océan Atlantique, qui fait la moitié du précédent, l'océan Indien et l'océan Arctique, recouvert en grande partie par la banquise.

et étangs qui apportent cette fraîcheur si singulière à nos paysages.
Les eaux souterraines proviennent, elles, de l'accumulation, dans un aquifère*, des eaux de pluie infiltrées dans les sols.
Qu'elles soient englouties en toute hâte par les fissures et les avens* des terrains karstiques* ou qu'elles circulent lentement dans les régions constituées de craie, de calcaire peu fissuré, de sable ou d'alluvions, lorsqu'elles ressortent à l'air libre, ces eaux donnent naissance à des sources.

Plus ou moins salées
Les eaux du globe ont une salinité moyenne d'environ 35 grammes de sel par litre. Les plus salées sont celles de la mer Morte : 80 grammes par litre.

Eaux douces et eaux salées

Il y a beaucoup plus d'eau salée que d'eau douce. Les eaux salées sont les eaux des mers et des océans.
Leur salinité est due au ruissellement des eaux de pluie sur le sol et les roches qui dissolvent et entraînent alors de fines particules de sels minéraux jusque dans les cours d'eau. Ceux-ci les charrient ensuite vers les mers et les océans. Là, les sels* s'accumulent et se concentrent.
Il y aurait assez d'eau douce sur notre planète pour remplir environ dix fois la mer Méditerranée. Une grande partie de cette eau se présente sous forme gelée. On la trouve dans les glaces des pôles et dans les glaciers des montagnes, dont la fonte printanière partielle fait naître des torrents. Le reste coule pour l'essentiel en sous-sol, dans les rivières et lacs souterrains, ou évolue à l'air libre, sous forme d'eaux courantes ou dormantes. Le reliquat est dispersé dans la biosphère*.

Toute l'eau de la planète se répartit dans cinq grands réservoirs : les mers et océans, les pôles et glaciers, les aquifères, les lacs et cours d'eau, la biosphère.

Le cycle de l'eau

Sur Terre, l'eau est en perpétuel mouvement et change constamment d'état. Cet incessant processus est très important pour la vie.

Évaporation

Les masses d'eaux superficielles (de surface) les plus importantes sont celles des mers et des océans. Puis viennent celles des lacs et des cours d'eau. Lorsqu'il fait chaud, elles s'évaporent et une vapeur légère s'élève. Au contact de l'air plus froid des couches supérieures de l'atmosphère, cette vapeur se condense en fines gouttelettes d'eau qui vont former des nuages. Entraînés par les vents, ceux-ci se déplacent au-dessus des continents.
La chaleur solaire fait aussi s'évaporer l'eau contenue dans les plantes.

L'eau en villégiature
L'eau reste en moyenne 9 jours dans l'atmosphère, 1 an dans les cours d'eau, 7 ans dans les lacs, 3 000 ans dans les océans, de 300 à 5 000 ans dans les aquifères et jusqu'à 8 000 ans dans les calottes glaciaires.

Précipitation

Quand la température reste suffisamment basse, les gouttelettes d'eau en suspension se rassemblent en gouttes plus grosses, pour finalement tomber, entraînées par leur poids : il pleut. S'il fait très froid, avant de tomber, l'eau se fige en de minuscules cristaux de glace : il neige.

Ils courent, ils courent
On appelle cours d'eau toutes les eaux courantes. De leur source à leur embouchure, on les nomme torrents, gaves, ruisseaux, rivières, affluents ou fleuves.

Ruissellement

Sur le sol, l'eau de pluie ruisselle et gagne les cours d'eau qui rejoignent ensuite les océans.
Parfois, si la précipitation est trop excessive, ou les sols trop poreux, l'eau de pluie s'insinue par gravité* dans le sol et le proche sous-sol, dont elle imbibe les pores. Le même processus peut se produire quand la neige fond.
Une fraction de cette eau va alors alimenter les racines des plantes, contribuant ainsi à la production de la biomasse*. Le reste poursuit son infiltration dans le sous-sol.

La rosée
La nuit, si le sol est assez froid et que les vents sont nuls, la vapeur d'eau de l'atmosphère se condense en gouttelettes qui se déposent sur les végétaux situés au ras du sol.

Infiltration

Là, la vitesse d'écoulement des eaux dépend de la nature du sol et peut aller de quelques mètres par an dans les sables fins à des centaines de mètres par heure dans les karsts*. Quelques mètres ou dizaines de mètres plus bas, l'eau finit par s'accumuler sur une couche imperméable, formant une nappe d'eau souterraine ou nappe phréatique*. Dans l'aquifère*, la nappe chemine lentement par gravité avant de déboucher à l'air libre pour donner naissance à une source. Ces eaux de source, unies aux eaux de ruissellement, vont gonfler les cours d'eau.

Les eaux de pluie
En France – en moyenne – 60 % des précipitations annuelles s'évaporent, 15 % ruissellent et 25 % s'infiltrent.

Régulation

L'alimentation des nappes phréatiques par les eaux d'infiltration se produit surtout au moment où l'évaporation est faible et où les plantes vivent au ralenti (en hiver sous nos latitudes). Ces eaux ressortent rarement immédiatement à l'air libre. Le plus souvent, leur voyage souterrain prend du temps.
En transformant ainsi des pluies passagères en un flux régulier, les eaux souterraines jouent un rôle tampon extrêmement important. En période de sécheresse, de telles nappes peuvent continuer à fournir de l'eau pendant des mois, voire des années.

Soumises à un cycle sans cesse renouvelé et entretenu par l'énergie solaire et la force de gravitation, d'énormes quantités d'eau circulent en permanence d'un réservoir à l'autre de la planète.

Une substance vitale

L'eau est indispensable au maintien de la vie telle que nous la connaissons sur Terre, car elle est le constituant essentiel des tissus et de la nourriture des organismes vivants.

Sans eau, pas de vie

Sans eau, aucun être humain, aucun animal, ni aucune plante ne pourrait exister. Un homme peut jeûner pendant un mois sans grand risque pour son organisme. Mais il ne peut rester sans boire ni manger plus de quarante-huit heures sans se mettre en danger. Cinq jours à ce régime suffisent à entraîner sa mort.

Les besoins en eau
Chaque homme perd, par la transpiration et par l'urine, environ 2,5 litres d'eau par jour qu'il doit renouveler pour rester en bonne santé.

L'eau chez l'homme

Le corps humain est une véritable usine hydraulique : il contient en moyenne et en poids quelque 60 % d'eau. Les organes les plus riches en eau sont le cœur, le cerveau et le sang, qui en contiennent environ 80 %.
L'eau absorbée joue un rôle fondamental dans le métabolisme. Elle sert au transport des matières organiques dans le corps. Elle contribue à la régulation thermique et au renouvellement des tissus et des différents liquides que sont le sang, les sucs gastriques, la salive…

L'eau dans les plantes

Les plantes peuvent contenir jusqu'à 90 % d'eau. Captée dans le sol par les racines, l'eau monte dans les tiges des plantes, leur apportant ainsi les éléments nutritifs indispensables à leur croissance. L'eau en excédent est rejetée par les pores des feuilles : les plantes transpirent.

Une ressource essentielle

Son omniprésence dans nos vies, son usage quotidien, ont rendu l'eau si banale et si familière, que nous en oublions à quel point c'est un bien précieux.

Les divers usages

De tout temps, l'eau a été une ressource essentielle à la survie des peuples, qui l'utilisaient pour se laver, s'alimenter, cultiver la terre, élever du bétail, fabriquer leur artisanat et transporter les marchandises et les hommes.
Aujourd'hui encore, le trafic maritime reste substantiel.
D'énormes quantités de marchandises sont transportées sur les mers, notamment le pétrole et les produits nucléaires. Le trafic fluvial (sur les cours d'eau), en net déclin, demeure néanmoins.
En effet, certaines rivières continuent à être exploitées pour le flottage du bois (les troncs dérivent depuis les forêts jusqu'à l'usine qui les débitera).
Sur les canaux, quelques péniches acheminent encore des marchandises.
Mais, surtout, l'eau est le nerf de la croissance industrielle, agricole et urbaine.

Les quantités d'eau prélevées

La France a prélevé environ 40,7 milliards de mètres cubes d'eau en 1994.
Près des 2/3 ont été utilisés pour le refroidissement des centrales nucléaires et thermiques.
Le reste se répartissait comme suit : 10 % pour l'industrie, 12 % pour l'agriculture et 15 % pour les collectivités locales.
De toute cette eau, seuls 5,6 milliards de mètres cubes ont été effectivement consommés, c'est-à-dire non restitués immédiatement au milieu aquatique.

Aussi essentielle à la vie que l'oxygène que nous respirons, l'eau est aussi, plus que toute autre substance, une ressource indispensable à l'ensemble de notre économie.

L'eau des villes

L'eau a de tout temps été d'une grande utilité et depuis qu'elle coule à flot des robinets, on l'utilise sans compter.

L'eau domestique

L'eau est essentielle au maintien d'une bonne hygiène corporelle et donc d'une bonne santé. Être propre protège des nombreuses maladies dues aux bactéries ou aux microbes. À la maison, elle est indispensable pour nombre d'activités quotidiennes, comme le rinçage et la cuisson des aliments, le nettoyage des vêtements et de la maison, l'arrosage des plantes…
En 1994, la consommation française en eau potable a été de 2,4 milliards de mètres cubes, soit une moyenne de 112 litres par jour et par habitant.

L'eau curative

Les eaux thermales sont des eaux fossiles* et chaudes, provenant de nappes souterraines situées à de très grandes profondeurs. Ayant circulé longtemps dans les roches, elles se sont beaucoup enrichies en sels minéraux et leur absorption est reconnue comme étant bénéfique à la santé. Des cures thermales sont prescrites par les médecins pour le traitement de nombreuses maladies nerveuses, digestives, respiratoires… Le curiste doit absorber une dose quotidienne de cette eau bienfaitrice et prendre régulièrement des bains ou des douches.

La thalassothérapie
Les propriétés thérapeutiques de l'eau de mer sont exploitées dans des centres au moyen de nombreux bains d'eau de mer chauffée ou enrichie d'algues ou de boues.

Quantité moyenne d'eau, exprimée en litres, nécessaire pour :	
une douche	40 à 80
un bain	150 à 200
une vaisselle	5 à 15
une machine à laver le linge	80 à 120
une chasse d'eau	8 à 12

L'eau des champs

L'eau a toujours été l'un des soucis majeurs des agriculteurs car il faut de l'eau, et beaucoup d'eau, pour cultiver la terre et produire des récoltes.

L'irrigation traditionnelle

L'irrigation est une pratique ancestrale développée pour garantir de bonnes récoltes et augmenter les surfaces cultivées. Elle consiste à prélever l'eau d'une rivière, ou d'un puits, et à l'amener dans les champs à l'aide d'un réseau plus ou moins complexe de petits canaux, de digues, de réservoirs et d'écluses de régulation. Aujourd'hui, certains barrages sont construits dans le seul but de stocker suffisamment d'eau afin de pourvoir à l'irrigation d'une région désertique. L'eau sert aussi à l'épandage (action de répandre) des engrais et des pesticides qui s'obtient par arrosage.

Consommation
En 1994, l'agriculture française a consommé environ 2,4 milliards de mètres cubes d'eau, soit 43 % de la consommation totale.

L'irrigation moderne

Mais l'irrigation traditionnelle consomme beaucoup d'eau dont une grande partie s'évapore. Les techniques développées récemment sont plus économes. Elles utilisent l'aspersion par gicleurs, rampes ou jets, qui créent une sorte de pluie artificielle, ou le goutte-à-goutte. Cela permet de restreindre au minimum la quantité d'eau fournie. Tout en apportant moins d'eau à la plante, ces techniques limitent aussi la perte par évaporation.

Quantité moyenne d'eau, exprimée en litres, nécessaire à la productiond'un kilogramme de :	
blé	900
maïs	1 400
riz	1 910
viande de poulet	3 500
viande de bœuf	100 000

Alors qu'à la ville l'eau nettoie et soigne, à la campagne elle aide à la croissance des plantes. Dans les deux cas, les quantités d'eau consommées sont importantes.

L’eau de l’industrie

Toutes les industries ont besoin d’eau. Les industries métallurgiques, chimiques, alimentaires et les papeteries en consomment beaucoup.

Consommation
En 1994, l’industrie française a consommé 0,4 milliard de mètre cube d’eau soit 7 % de la consommation totale.

Des usages variés

L’eau peut être utilisée à divers stades de la chaîne de fabrication des produits. La qualité requise dépend de l’usage : l’eau doit être potable pour l’industrie alimentaire mais très pure pour l’industrie électronique. On l’utilise beaucoup pour laver. Elle sert aussi à rincer, cuire, tremper ou imbiber textiles, peaux, pâte à papier ou produits alimentaires. Après l’adjonction de produits chimiques, colorants ou réactifs solubles, elle sert à blanchir, colorer, désagréger, coller, extraire, séparer. C’est un excellent solvant pour l’industrie chimique.

L’eau refroidit et véhicule la chaleur

L’eau est capable de stocker puis de restituer de grandes quantités d’énergie. Dans les centrales nucléaires, c’est de l’eau sous pression qui refroidit le cœur du réacteur, transporte ailleurs les calories qu’elle restitue en transformant l’eau d’un autre circuit en vapeur. C’est encore de l’eau – d’énormes quantités prélevées à une rivière proche – qui refroidit et condense cette vapeur après qu’elle a servi à entraîner les turbines.

Quantité moyenne d'eau, exprimée en litres, nécessaire à la production de :	
1 litre d'essence	10
1 kilogramme de sucre	100
1 kilogramme de papier	250
1 kilogramme d'aluminium	100 000

Une source d'énergie

Pour se persuader de la force de l'eau, il suffit de plonger sa main dans un courant. En revanche, attention à la chaleur de certains geysers !

Les diverses centrales électriques
Dans les centrales nucléaires et thermiques, c'est de la vapeur d'eau chauffée qui entraîne les turbines. Alors que dans les centrales hydrauliques (et marémotrices), c'est l'eau qui dévale des montagnes (et l'eau de mer en mouvement) qui les fait tourner.

L'énergie de l'eau en mouvement

Comme le vent peut faire tourner l'hélice d'un moulin, l'eau en mouvement peut faire tourner une turbine. Si celle-ci est couplée à un alternateur, l'énergie mécanique est transformée alors en énergie électrique, transportable sur de grandes distances. Les barrages installés sur des cours d'eau permettent ainsi de capter la force de l'eau courante, tout en contrôlant son débit.
Le flux et le reflux des marées constituent également une source d'énergie, déjà utilisée à l'époque médiévale. Mais la première centrale marémotrice équipée de plusieurs turbines ne fut construite qu'en 1966, sur la Rance, près de Saint-Malo en Bretagne : elle est installée le long d'une digue et agit dans les deux sens.

Une ressource peu utilisée
Aujourd'hui, seul le quart de toute la puissance hydroélectrique disponible et utilisable dans le monde est exploité.

L'énergie des sources chaudes

Certaines nappes souterraines sont si profondément enfouies dans le sous-sol chaud de la terre que leur température est élevée – pouvant atteindre parfois 100 °C. Captées à l'aide de forages profonds, ces eaux sont utilisées pour le chauffage urbain ou la production d'électricité. Lorsqu'elles sont sous pression, elles jaillissent d'elles-mêmes sous la forme de geysers fournissant une eau chaude naturelle.

L'eau est indispensable à l'élaboration de nombreux produits industriels. Courante, mouvante ou chaude, elle est utilisée pour la production d'électricité ou le chauffage.

Les diverses qualités d'eau

L'eau est nécessaire à la vie et à son maintien mais toutes les eaux ne sont pas bonnes pour la santé. La qualité des eaux à boire est un enjeu majeur de santé publique.

L'eau pure

L'eau pure, ou chimiquement pure, est une eau qui ne contiendrait que des molécules* d'eau et rien d'autre. Cette notion de pureté est une abstraction. Il est encore impossible aujourd'hui de déterminer si une eau est pure, la précision des meilleurs instruments d'analyse n'étant pas suffisante. Dans la nature, l'eau contient toujours une quantité innombrable d'autres corps : des sels minéraux, des débris végétaux, des bactéries, et aujourd'hui de plus en plus de polluants minéraux et organiques.

Toutes les eaux de la nature ne sont pas bonnes à boire

Quant l'eau n'est pas traitée, virus, bactéries et petits mollusques responsables de nombreuses maladies s'y ébattent sans vergogne. Aujourd'hui encore, plus que le manque d'eau, la mauvaise qualité bactériologique de certaines eaux est à l'origine de millions de morts dans les pays en voie de développement qui manquent de moyens pour les traiter mais aussi d'informations.

Organique ou minéral
Les substances organiques sont tous les composés du carbone comme la matière vivante ou le pétrole et ses dérivés. Tous les autres corps sont dits minéraux : ce sont les métaux, les céramiques, les roches...

L'eau potable

Dans son acception la plus stricte, une eau potable est une eau qui doit pouvoir être consommée sans aucun risque sanitaire. On considère cependant qu'elle doit aussi être agréable à boire. Pour être potable, une eau doit donc être claire, limpide, insipide et inodore, ne renfermer aucun organisme pathogène à même de déclencher des maladies, ni substances indésirables ou toxiques à des concentrations trop élevées.

Les normes

Aujourd'hui, pour bénéficier de ce qualificatif, pas moins de 64 paramètres sont nécessaires, pour lesquels des normes de potabilité ont été définies. Ces normes sont des valeurs limites, fixées par décret, en deçà desquelles la santé du consommateur est censée ne pas être mise en danger. Elles rendent acceptable la présence de certains produits toxiques, moyennant une concentration ne dépassant pas la teneur prescrite. Ces valeurs diffèrent d'un pays à l'autre, même en Europe.
Le risque sanitaire d'une eau impropre du point de vue bactériologique est plus grand et plus immédiat que celui d'une eau dont les normes chimiques seraient dépassées. Dans ce dernier cas, le risque ne peut d'ailleurs être évalué qu'au vu de la totalité des quantités absorbées sur un temps suffisamment long.

La réglementation
En France, les critères de potabilité sont fixés par le décret du 3 janvier 1989 qui s'inspire de la directive européenne du 15 juillet 1980 concernant les eaux de consommation. Mais des normes plus sévères sont aujourd'hui à l'étude.

Les eaux minérales

Les eaux minérales sont des eaux thermales, commercialisées comme eaux de boisson. Beaucoup plus riches en sels minéraux ou en oligoéléments* que les eaux de surface, elles sont considérées comme des médicaments et leur diffusion est sous le contrôle du ministère de la Santé qui délivre les autorisations de mise sur le marché. Les eaux de source sont considérées comme n'ayant aucune vertu thérapeutique et sont soumises à la même législation que l'eau potable.

Toutes les eaux à boire, qu'elles soient potables ou minérales, sont strictement réglementées. Elles doivent respecter les normes édictées dans chaque pays.

De l'eau potable à domicile ?

Avoir de l'eau courante à tous les étages qui soit potable est une situation très récente, même pour un pays comme la France.

Une consommation croissante
De la fin du XVIIIe siècle à nos jours, la consommation d'eau potable à Paris a été multipliée, environ, par 35.

Il n'y a pas si longtemps...

Jusqu'à la fin du XVIIIe siècle, le porteur d'eau était l'unique moyen de disposer d'eau potable à domicile. Au milieu du XIXe siècle, il fallait encore aller puiser son eau à la source ou au puits, ou la prendre à une fontaine. Quant aux eaux usées, elles étaient directement évacuées dans les rivières où s'accumulaient les immondices. Les microbes se multipliaient en toute quiétude provoquant de nombreuses épidémies.

L'eau courante, une invention très récente

On commença enfin à se préoccuper de la qualité de l'eau à la suite des très graves épidémies de choléra qui, durant la première moitié du XIXe siècle, causèrent la mort de dizaines de milliers de personnes, notamment à Paris.

Un état des équipements
Presque tous les logements français sont alimentés en eau potable. 85 % de ceux relevant de l'assainissement collectif ont leurs eaux usées traitées dans une station.

Le baron Haussmann (1809-1891), alors préfet de la ville, fit édifier des aqueducs pour amener, de rivières pas trop éloignées, une eau plus saine qui fut distribuée, non purifiée, dans les maisons. En 1884, déjà 64 % des maisons parisiennes disposaient de l'eau courante, mais en 1946, seulement 37 % des maisons françaises s'en trouvaient équipées.

Une eau de qualité

Le contrôle de la qualité de l'eau ne commença à être instauré qu'à la fin du XIXe siècle lorsque les progrès scientifiques permirent de révéler la présence de bactéries dans l'eau.

En règle générale, jusqu'à la Seconde Guerre mondiale, le traitement de l'eau était élémentaire : on se contentait de la filtrer sur du charbon actif*. Le chlore ne commença à être utilisé qu'après la guerre. Par la suite, les progrès scientifiques et le développement de traitements de plus en plus performants permirent d'améliorer de façon considérable la qualité de l'eau du robinet et favorisèrent la parution des premières réglementations.

Non respect des normes
Aujourd'hui, 5 millions de personnes sont susceptibles de trouver à leur robinet une eau non conforme aux normes bactériologiques.

Une qualité qui se dégrade

Mais à mesure qu'il devenait de plus en plus facile de disposer d'eau potable, la consommation augmenta. Dans le même temps, l'industrie et l'agriculture s'intensifièrent.

Cette évolution eut pour conséquence un accroissement des rejets d'effluents* toxiques dans l'eau, à l'origine des problèmes de pollution que l'on connaît aujourd'hui.

La qualité des eaux brutes s'est en effet beaucoup dégradée, obligeant sans cesse à affiner les traitements.

Il n'empêche, certaines eaux du robinet, surtout celles des petites unités de distribution en zone rurale, ne respectent désormais plus toutes les normes en vigueur.

Elles sont atteintes de pollution bactériologique et de pollution par les nitrates et les pesticides.

La qualité de l'eau domestique s'est considérablement améliorée depuis le siècle dernier, même si de nouveaux problèmes de pollution, qu'il va falloir résoudre, sont apparus récemment.

L'approvisionnement en eau potable

En plus de son cycle naturel, l'eau connaît un cycle artificiel imposé par l'homme qui s'en empare pour l'acheminer jusque dans les villes avant de la rendre, un peu dénaturée, à l'environnement.

Une infrastructure énorme
Environ 40 000 captages, 700 000 km de canalisations et plus de 25 000 usines de traitements permettent de distribuer 2,4 milliards de mètres cubes d'eau potable par an à la population française.

Le captage

Pour alimenter une ville, l'eau douce est captée de nappes souterraines ou de sources, de lacs ou encore de rivières ou de fleuves, en fonction de leur proximité. Quand elles ne sont pas polluées, les eaux souterraines sont de très bonne qualité. Les eaux fossiles* ou encore l'eau de mer servent aussi parfois à la production d'eau potable.

Les eaux de surface sont captées à l'aide de canalisations : en fonction de la topographie du lieu, soit on les fait s'écouler naturellement soit elles sont aspirées. Les eaux souterraines, elles, sont captées par l'intermédiaire de galeries, de puits ou même, pour les nappes les plus profondes, de forages.

Aqueduc de Vannes.

La production

L'eau captée est transportée sous terre, sous pression dans des canalisations, ou à l'air libre le long d'aqueducs ou de canaux. Un certain nombre d'appareils, des surpresseurs, sont parfois nécessaires pour apporter localement plus de pression, afin de surmonter un obstacle ou d'acheminer l'eau tout au long d'un itinéraire trop plat ou d'une distance trop grande. L'eau est ainsi conduite jusqu'à une usine où elle est traitée pour répondre aux critères définissant une eau potable. Elle est ensuite amenée soit à des réservoirs surélevés, afin de maintenir une pression suffisante au robinet, soit directement à un réseau de distribution.

Les prélèvements en eau
En France, 57 % de l'eau destinée à la consommation humaine provient des nappes souterraines.

La distribution

Le réseau de distribution est formé d'un tissu de plus en plus ramifié de conduites au diamètre de plus en plus étroit, qui fractionne progressivement l'eau afin de la distribuer dans chaque habitation, de la livrer à chaque compteur. Toutes les régions ne bénéficiant pas des mêmes réserves, la distance séparant le lieu de captage du lieu de distribution peut parfois être importante. De nombreux kilomètres de canalisations sont alors nécessaires, tout au long desquels l'eau doit conserver ses qualités.

Les rejets
Le décret du 3 juin 1994 qui s'appuie sur la directive européenne du 21 mai 1991 prévoit qu'en 2005 les villes de plus de 2 000 habitants devront épurer leurs eaux usées.

La récupération

Après utilisation, l'eau souillée est rejetée à travers une autre série de canalisations jusqu'à des égouts qui récoltent toutes les eaux usées. Dans un souci récent de sauvegarde des ressources et de l'environnement, celles-ci sont ensuite, de plus en plus souvent, assainies dans des stations d'épuration. Ces usines ne produisent pas de l'eau potable. Elles lavent les eaux usées des agents biologiques ou chimiques qu'elles peuvent contenir, trop toxiques pour être livrés au milieu naturel, avant de les rendre, épurées, à leur cycle immémorial.

Du captage de l'eau à son rejet après usage, un très grand nombre d'installations techniques de grande envergure sont nécessaires pour garantir l'alimentation en eau potable à domicile.

Le traitement des eaux

La plupart des eaux ne peuvent servir à l'alimentation humaine qu'après avoir subi des traitements de plus en plus complexes et coûteux.

Il n'y a pas une, mais des eaux

Dans la nature, la qualité des eaux est très variable, en fonction du lieu, des saisons et des circonstances. Pour être utilisée pour la production d'eau potable, une eau doit satisfaire aux normes fixées par le décret du 3 janvier 1989. Les eaux de captage doivent donc être périodiquement analysées et les traitements constamment ajustés à leur composition. Parfois, aucun traitement n'est nécessaire.

Réservoir du quartier Montsouris (Paris). Arrivée de l'eau de la vanne.

La chaîne traditionnelle du traitement de l'eau

L'eau est d'abord clarifiée, c'est-à-dire nettoyée de toutes les matières en suspension qu'elle contient. Elle circule dans des bassins de décantation au fond desquels les matières se déposent ; l'ajout préalable de réactifs chimiques permet aux particules trop fines de s'agglomérer puis de décanter elles aussi. L'eau traverse ensuite des lits de sable, qui filtrent les impuretés plus fines encore. Puis l'eau est désinfectée, c'est-à-dire débarrassée des organismes pathogènes qu'elle contient : elle est soumise à l'action bactéricide soit d'un désinfectant chimique, comme le chlore ou l'ozone, soit de rayons ultraviolets. Son acidité et sa dureté* sont régulièrement vérifiées et ajustées.

Des traitements spécifiques

Lorsque ces traitements ne suffisent pas, des procédés d'affinage sont appliqués afin d'éliminer toute trace de micropollution, comme celles dues aux métaux lourds et aux pesticides. Les polluants organiques par exemple, peuvent être traités à l'ozone puis par adsorption* sur charbon actif biologique* : l'ozonation réduit la taille des molécules* qui peuvent alors pénétrer dans les pores du charbon actif*, où elles sont consommées par les bactéries accrochées aux parois.

Les organismes pathogènes
Ce sont des organismes capables de provoquer une maladie.

Des techniques modernes

Face à la pollution grandissante, les traiteurs d'eau recherchent constamment des procédés plus performants. Ainsi d'énormes progrès ont-ils été accomplis dans le domaine des membranes. Celles-ci, poreuses, agissent comme des filtres : elles laissent passer les petites molécules d'eau mais arrêtent les trop grosses molécules des polluants. Tout dépend de la taille des pores. En filtrant matières en suspension et virus, l'ultrafiltration permet de clarifier et de désinfecter l'eau. Avec des pores encore plus étroits, la nanofiltration retient les matières organiques dissoutes. Ces procédés présentent l'avantage de n'utiliser aucun réactif mais leur coût est élevé.

Le dessalement de l'eau de mer

Ni trop dure, ni trop douce
Trop dure, l'eau entartre les conduites et oblige à utiliser plus de détergents ; trop douce, elle corrode les tuyaux et se charge en métaux.

Il existe plusieurs procédés industriels permettant d'obtenir de l'eau potable en dessalant l'eau de mer. L'un d'eux, la distillation, consiste en une série d'opérations d'évaporation et de condensation de l'eau. La vapeur d'eau étant toujours moins salée que l'eau liquide dont elle est issue, la teneur en sel* diminue progressivement. Ces techniques permettent de pallier l'absence de réserves d'eau douce, mais elles sont très onéreuses.

Face aux multiples qualités d'eau et à leur variabilité dans le temps, la seule réponse est la diversité des traitements et leur adaptabilité.

Le service de l'eau

Ce service concerne la distribution d'eau potable jusqu'aux compteurs, puis la récupération et l'assainissement des eaux usées.

Un service public...

La responsabilité de ce service incombe aux communes qui ont en outre la possibilité de s'associer pour le gérer. Elles peuvent opter pour une gestion directe et s'appliquer à l'exploitation des installations, ou pour une gestion déléguée confiée par voie contractuelle (contrat) à une entreprise. La collectivité demeure propriétaire des installations, qu'elles aient été ou non réalisées et financées par une entreprise.

Une eau presque privée
La Compagnie générale des eaux, la Lyonnaise des eaux et pour une faible part la Saur (Bouygues) se partagent près de 75 % du marché de l'eau en France.

... de plus en plus privé

Ces dernières années, la législation sur l'eau s'est faite plus contraignante. Les compétences et les investissements requis ont encouragé les communes à déléguer la gestion de ce service à des sociétés possédant les savoir-faire, la technologie et les capacités de financement nécessaires. Aujourd'hui, la plupart des usagers sont desservis par des compagnies privées dont les pratiques sont de plus en plus critiquées. Le manque de concurrence, l'absence de transparence dans la gestion sont autant d'abus dénoncés par la Cour des comptes.

Contradiction !
Le prix de l'eau étant établi sur des charges fixes, une baisse de la consommation peut se traduire par une augmentation du coût au mètre cube.

Un prix de l'eau...

Le prix de l'eau doit être approuvé par le conseil municipal. Il peut être très différent d'une commune à l'autre car il dépend de la qualité et de la proximité de la ressource utilisée, de la vétusté et de la taille des équipements, de la densité de la population. La facture d'eau recouvre, pour l'essentiel, les frais de construction, de fonctionnement et d'entretien des installations de distribution et d'assainissement.

... de plus en plus élevé

Le prix de l'eau a augmenté en moyenne de 9 % par an depuis 1991. Même si la gestion déléguée coûte plus cher que la gestion directe, cette hausse massive est due essentiellement au développement de l'assainissement. Mais aussi pour une moindre part, à la rénovation des unités de traitement, que la dégradation des réserves et la sévérité croissante des normes ont rendu nécessaire. Elle devrait se poursuivre notamment à cause de la norme draconienne sur le plomb adoptée récemment par l'Europe. La teneur en plomb de l'eau du robinet va devoir en effet fortement diminuer, ce qui va nécessiter le remplacement de nombreuses canalisations faites de ce métal.

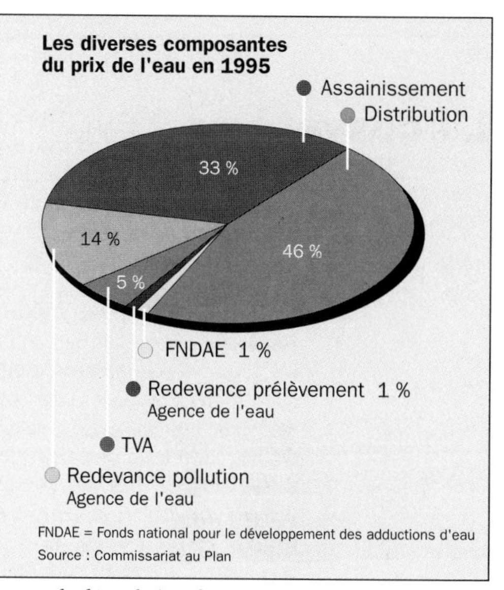

FNDAE = Fonds national pour le développement des adductions d'eau
Source : Commissariat au Plan

Le contrôle sanitaire

La qualité de l'eau fournie à l'usager est contrôlée par les directions départementales de l'action sanitaire et sociale (DDASS) du ministère de la Santé. La nature et la fréquence des analyses, fixées par arrêté préfectoral, dépendent de plusieurs facteurs et en particulier de la taille de la collectivité desservie : plus elle est grande, plus les contrôles sont nombreux. Les résultats doivent être rendus public dans les mairies par affichage et sont disponibles auprès du service des eaux de la localité. En cas de menace d'épidémie, les pouvoirs publics peuvent ordonner l'arrêt de la distribution.

En France, le service de l'eau est public, les communes en ont la responsabilité. Mais la gestion de ce service est souvent déléguée, par contrat, à des entreprises.

L'écosystème aquatique

Faune et flore foisonnent dans les mers et les eaux continentales qui hébergent les formes de vie les plus audacieuses.

Le peuplement des milieux aquatiques

Les fonds marins abritent d'innombrables variétés d'algues, de nombreux animaux aussi curieux que l'éponge, la méduse, les coraux, l'oursin, l'étoile de mer, le homard mais aussi quelque 30 000 espèces de poissons ainsi que les plus gros mammifères de la planète, les baleines. Des plantes aquatiques très diverses séjournent également dans les cours d'eau, les lacs ou les marais, où de nombreuses variétés de poissons vivent au côté de loutres, grenouilles… et oiseaux aquatiques en tout genre.

Qu'est-ce qu'un écosystème aquatique ?

Un écosystème* aquatique est constitué par le biotope* et la biocénose*. Le biotope concerne le milieu, les conditions d'habitat, alors que la biocénose se rapporte à l'ensemble des animaux et des plantes qui vivent en interrelation dans le biotope.
La nature du peuplement de la biocénose dépend étroitement des conditions de développement offertes par le biotope.
La structure d'un écosystème est caractérisée par un ensemble de paramètres liés à la morphologie, à la géologie et aux conditions hydrologiques et climatiques du milieu, tels que l'oxygénation de l'eau, la température, la luminosité ou le courant.

Un système à plusieurs niveaux

On distingue trois grands compartiments biologiques dans un écosystème aquatique.
Le premier maillon de la chaîne alimentaire, ou chaîne trophique*, de l'écosystème est constitué

Phyto- et zooplancton
Dans les mers et les cours d'eau, les organismes végétaux (*phyto*) et animaux (*zoo*), souvent de taille microscopique, qui vivent en « flottant entre deux eaux », forment le plancton.

par les producteurs : ce sont les végétaux (dont les algues), qui utilisent l'énergie des rayons solaires pour produire leurs propres éléments nutritifs à partir des sels* dissous dans l'eau – tout en apportant au milieu l'oxygène indispensable à la vie.
Viennent ensuite les consommateurs : ce sont les espèces qui se nourrissent de matières végétales, comme le zooplancton, ou animales, comme de nombreux poissons – les plus petits servant de nourriture aux plus gros.
Enfin, le dernier maillon comprend les décomposeurs, des micro-organismes, tels que les bactéries et les champignons, qui contribuent à l'autoépuration des eaux de l'écosystème en dégradant, pour les recycler, les matières organiques complexes issues des autres organismes.
Ce faisant ils rejettent des substances simples utiles aux producteurs et bouclent ainsi la chaîne. Ils jouent un rôle capital dans la stabilité de l'écosystème.

Un système complexe

En réalité, les mécanismes sont beaucoup plus complexes que ne l'indique cette esquisse, très schématique, de l'ordonnance trophique.
Le concept même de « chaîne » alimentaire, en suggérant des dépendances nutritives linéaires entre espèces, est trop sommaire.
Les relations sont en fait beaucoup plus entrelacées, les espèces très diverses de l'écosystème aquatique interagissant en permanence selon de multiples combinaisons.

Tout écosystème aquatique abrite une multitude d'espèces animales et végétales très diverses qui vivent en relation de dépendance étroite entre elles et avec le milieu.

De l'autoépuration à la pollution

Une fois établi, aucune intervention extérieure ne venant le perturber, un écosystème* aquatique est relativement stable. Il évolue très lentement.

Un équilibre fragile

L'évolution d'un écosystème aquatique stabilisé se mesure en siècles. Les biomasses* de ses différents compartiments biologiques demeurent dans un rapport qui permet aux différents organismes d'entretenir des relations équilibrées. Aucun compartiment ne devient trop conséquent et n'est en mesure d'évincer les autres. L'oxygène est en quantité suffisante. Le système est en équilibre.

Mais ce bel équilibre peut être rompu. Cela survient dès que l'eau n'est plus à même de réaliser son auto-nettoyage, c'est-à-dire de dégrader et de recycler oute la matière organique, végétale et animale, naturellement présente, ou due aux rejets de l'homme : on dit alors que l'eau est polluée.

Oxygénation
En facilitant le brassage de l'eau, les diverses chutes d'eau – remous et rapides – favorisent son oxygénation, l'aidant ainsi à maintenir un certain équilibre.

L'eutrophisation

L'eutrophisation* est un phénomène particulier de pollution, que l'on observe lorsque trop d'éléments nutritifs sont apportés à un écosystème aquatique. Elle peut se produire dans un lac naturellement, du fait de l'apport progressif, par l'érosion et les précipitations, d'éléments nourriciers et de sédiments : on dit alors que le lac vieillit.

Mais elle peut aussi affecter le milieu marin, certains estuaires ou zones côtières où les eaux circulent peu.

C'est ce qui arrive lors de l'apport artificiel et trop important d'éléments assimilables par les plantes – comme le phosphore et l'azote, contenus dans divers effluents* issus de l'activité humaine.

Que se passe-t-il ?

Certaines algues disparaissent alors au profit d'espèces résistantes qui, se nourrissant en quantité de ces sels*, prolifèrent à l'excès.

Les bactéries qui décomposent ce surcroît de matière organique se multiplient aussi, consommant de plus en plus d'oxygène. Quand la capacité d'assimilation du milieu est dépassée, la matière organique non dégradée commence à s'accumuler et l'oxygène à manquer.

L'équilibre est rompu. L'oxygénation de l'eau n'étant plus correctement assurée, plantes et animaux, pourtant très résistants, meurent asphyxiés.

Asphyxie
Les détergents (qui contiennent du phosphore) et les engrais (dont les nitrates qui contiennent de l'azote), sont en partie responsables de l'eutrophisation de certains milieux aquatiques.

Quand y a-t-il pollution ?

Tous les polluants n'agissent pas de la même manière. Certains, biodégradables (décomposables par des organismes vivants), modifient l'équilibre naturel des écosystèmes.

D'autres sont tout simplement immédiatement toxiques pour les organismes.

Leur effet, qui dépend à la fois de leur concentration et de l'écosystème considéré, est délicat à estimer du fait de la complexité des phénomènes mis en jeu.

Il est donc difficile de spécifier pour chacun d'eux une concentration maximale acceptable.

D'ailleurs, il n'existe toujours pas de consensus et la loi ne fixe aucune norme.

Si la quantité de rejets toxiques est très importante et que les capacités naturelles d'épuration de l'écosystème aquatique ne sont plus suffisantes, il y a pollution.

Des modifications du milieu

À trop s'ingérer de manière directe ou non dans le cycle naturel de la vie, les sociétés humaines sont aujourd'hui à l'origine d'une altération importante des écosystèmes*.

Barrage Tucurui (Amazonie), le quatrième barrage du monde.

Les barrages

La construction de barrages répond à des objectifs légitimes, telles la régularisation des débits, l'irrigation, l'alimentation en eau potable ou la production d'électricité.
Mais les conséquences écologiques de ces ouvrages sont parfois désastreuses. Les poissons migrateurs, dont la route vers les frayères* est coupée, disparaissent. Les régimes hydrologiques de régions entières peuvent être modifiés. La qualité des eaux diminue, dans la retenue victime d'eutrophisation* en raison de la rétention des limons* par le barrage, et en aval où l'eau n'est plus naturellement enrichie par ce limon retenu plus haut.

Les déforestations

Toute déforestation participe localement à la perturbation du cycle de l'eau. La présence d'arbres augmente en effet la pluviosité d'une région : leurs racines retiennent l'eau dans les sols et leurs feuilles en transpirant génèrent et maintiennent une certaine humidité. Lorsque trop d'arbres sont abattus, le régime des pluies diminue et la terre n'étant plus retenue par les racines, l'érosion des sols s'accélère, ce qui accentue la désertification. Pourtant, environ 150 000 kilomètres carrés de forêts, soit plus du quart de la superficie de la France, disparaîtraient chaque année dans le monde.

Sur le Yang-Tseu kiang
Faisant fi des risques environnementaux, les Chinois s'apprêtent à construire le plus grand barrage du monde.

L'assèchement de la mer d'Aral
Il est dû aux prélèvements excessifs d'eau effectués sur les fleuves qui l'alimentent pour irriguer les cultures en amont.

L'irrigation

Une irrigation mal dirigée peut avoir des conséquences dramatiques, surtout dans les régions au climat sec et chaud où l'on irrigue toute l'année. Lorsqu'il n'est pas prévu de drainer l'eau qui a servi à irriguer les sols, celle-ci en effet stagne dans les champs, s'évaporant lentement et déposant les sels* dissous qu'elle contient. L'excès de sels stérilise alors progressivement les terres qui, devenues trop incultes, doivent être abandonnées.

Le gigantesque barrage d'Assouan
En amont, d'immenses contrées sont devenues marécageuses. En aval, les engrais chimiques sont désormais nécessaires, les eaux n'étant plus fertilisées par le limon.

La pollution de l'air

Nombre d'activités humaines rejettent dans l'atmosphère des polluants gazeux aux effets pervers. Certains entraînent un amincissement de la couche d'ozone (*voir* pp. 10-11) dans la haute atmosphère et donc une augmentation, au niveau du sol, du rayonnement ultraviolet qui affecte les écosystèmes aquatiques. D'autres, comme le gaz carbonique*, concourent à l'effet de serre (*voir* pp. 10-11) et donc au réchauffement de la planète. Il s'agit là d'une influence climatique très préoccupante malgré la présence de poussières naturelles et industrielles qui, en réfléchissant la lumière solaire, ont un effet inverse. D'autres gaz encore, comme les dioxydes de soufre et d'azote, acidifient les pluies, endommageant les forêts et empoisonnant sols, lacs, fleuves et rivières.

En modifiant le cours naturel des eaux, en abattant les arbres, en polluant l'atmosphère, l'homme favorise la désertification de certaines régions du globe et la dégradation de la qualité de l'eau.

Des pollutions endémiques

Récemment encore, l'homme déversait sans scrupule toutes sortes de produits dans l'eau. Mais aujourd'hui, l'eau n'est plus en mesure comme autrefois, de s'autoépurer : elle est donc de plus en plus polluée.

Lacs, rivières et nappes phréatiques sont polluées

De leur source à leur embouchure, les fleuves sont pollués par les eaux de ruissellement, les eaux d'égouts et les effluents* industriels qu'ils reçoivent. En fin de course, les produits toxiques qu'ils transportent sont déversés dans les mers et les océans.
Bien que souterraines, les nappes phréatiques* sont également touchées : de plus en plus de polluants y sont introduits par les eaux d'infiltration.
Ils peuvent mettre plus ou moins de temps à les atteindre mais y rester longtemps si la circulation de l'eau y est lente.

La pollution domestique

Cette pollution biologique et chimique est la plus ancienne.
Elle est à l'origine de la présence dans l'eau – qui ne fait que les véhiculer – de bactéries et virus issus des déchets du métabolisme animal et humain et responsables de nombreuses maladies.
En outre, ces rejets humains et ménagers fournissent, chaque jour, des tonnes de matières organiques, déversées dans les égouts des villes.
Dans les grosses agglomérations, les eaux de pluie participent aussi à la pollution en entraînant les polluants atmosphériques et les hydrocarbures qui maculent les routes.

La pollution industrielle

Cette pollution, par le volume, l'étendue de la gamme et la nature des produits rejetés souvent difficiles à neutraliser, est certainement la plus inquiétante. Les procédés industriels sont responsables de l'essentiel des rejets de produits toxiques et d'une partie de la pollution organique.

Les principaux polluants sont certains minéraux, métaux lourds (plomb, mercure, arsenic…) et hydrocarbures.

Les industries les plus polluantes sont celles du papier et de l'alimentaire. Même de l'eau juste un peu chaude, comme celle utilisée pour le refroidissement dans les centrales, peut perturber l'équilibre d'un cours d'eau, qui en reçoit de trop grandes quantités.

De certains dépôts de déchets s'échappent aussi parfois des produits toxiques.

La famille des pesticides
Les herbicides luttent contre les mauvaises herbes, les fongicides contre les champignons, les insecticides contre les insectes et les raticides contre les rongeurs. Il existe en tout plus de 900 substances.

La pollution agricole

C'est une pollution diffuse qui prend de plus en plus d'ampleur car, pour améliorer sans cesse la rentabilité des champs, toujours plus d'engrais et de pesticides sont répandus. Les engrais contiennent des nitrates, déterminants pour la croissance des plantes mais dont l'azote favorise les phénomènes d'eutrophisation*.

Les pesticides sont des micropolluants organiques très dangereux pour la santé.

Très solubles dans l'eau, ils sont charriés par les pluies, s'infiltrent dans la terre et polluent nappes et rivières souterraines.

Il en va de même du purin très azoté des élevages de porcs et de volailles.

Les grands responsables de la pollution des cours d'eau, comme des nappes phréatiques, sont les rejets industriels, les engrais et pesticides de l'agriculture et les déchets domestiques.

Des pollutions singulières

La pollution n'affecte pas seulement les lacs et les cours d'eau ; les plus grands réservoirs de la planète sont également atteints.

Les mers, de véritables poubelles

Les grands océans sont pollués en surface et près des côtes, mais ils restent encore propres dans leurs profondeurs abyssales. En revanche, la plupart des mers sont très malades. Tous subissent les pollutions urbaines, industrielles et agricoles apportées par les eaux des égouts et les effluents* industriels des villes côtières et par les fleuves qui viennent s'y jeter. L'apport excessif de matières nutritives qui en découle, permet le développement d'une pollution insidieuse qui mûrit dans le secret des fonds marins : la multiplication d'algues entraînant une asphyxie progressive du milieu aquatique. À côté de ces pollutions assurément les plus graves, il y en a d'autres plus occasionnelles.

Le littoral
60 % de la population mondiale vit le long des côtes, un milieu profondément perturbé par l'urbanisation, le trafic maritime et l'industrialisation qui en découlent.

Les marées noires

Les pollutions les plus spectaculaires sont certainement celles dues aux accidents de ces énormes pétroliers qui sillonnent en permanence les océans. Des flots de pétrole sont déversés, qui s'étalent à la surface des eaux, provoquant la mort du plancton et de nombreux poissons. Même les oiseaux en quête de nourriture périssent englués dans le pétrole. Ces marées noires étant impossibles à éliminer complètement, d'immenses nappes de pétrole poursuivent leur dérive à la surface des eaux.
Les plates-formes de forage en mer, notamment en mer du Nord, sont également une source de pollution par le pétrole lors de fuites accidentelles.

Attention, radiation mortelle
Des nombreux rejets de fluides radioactifs dans le lac Karachai en Russie auraient fait de ce dernier le lac le plus radioactif du globe.

La mer Baltique
Outre le fait d'héberger, depuis la Seconde Guerre mondiale, des armes chimiques contenant des milliers de tonnes de gaz mortel, cette mer du nord de l'Europe est envahie par les algues. C'est l'une des mers les plus malades de la planète.

La pollution radioactive

Invisible, la pollution nucléaire n'en est que plus insidieuse. Jusqu'à la signature d'un accord en 1982, quantité de déchets très radioactifs ont été immergés dans de profondes fosses sous-marines, et cela par une douzaine de pays dont les États-Unis, la France et le Royaume-Uni.
Les Soviétiques puis les Russes auraient cependant poursuivi cette pratique jusqu'en 1992 au moins, engloutissant déchets et réacteurs nucléaires ! Mieux, en mer de Norvège, un sous-marin russe à armement nucléaire croupit, depuis 1989 par 1 695 mètres de fond. Ses ogives, contenant du plutonium, corps radioactif et chimiquement très toxique, sont restées pendant cinq ans au contact direct de l'eau avant que le sous-marin soit enfin colmaté. Mais combien de temps cette réparation tiendra-t-elle ? Nul ne le sait. Pas plus que quiconque ne peut aujourd'hui estimer les effets à long terme de telles immersions.

Réceptacles de toutes les pollutions fluviales et côtières, mers et océans sont aussi victimes de marées noires et servent de lieux de stockage à un grand nombre de produits très dangereux.

Une richesse mal répartie

La répartition des eaux sur la Terre n'a cessé de se modifier. Cela se poursuit aujourd'hui avec la lente remontée du niveau des océans. En revanche, la quantité totale d'eau présente, elle, n'a pas varié.

Un lac gigantesque
Avec ses 22 000 kilomètres cubes, le lac Baïkal en Sibérie est le plus grand réservoir d'eau douce du globe.

Des stocks limités

Au total, on évalue à environ 1 400 millions de kilomètres cubes le volume total de toute l'eau de l'hydrosphère*. C'est une quantité énorme mais 97 % de ce volume d'eau est salé. Le volume des eaux douces continentales est estimé à environ 39 millions de kilomètres cubes, dont la plus grande part n'est cependant pas réellement utilisable : plus des trois quarts, sous la forme de glaces polaires ou de montagne, sont gelés. Quant à l'eau douce restante effectivement disponible – environ 10 millions de kilomètres cubes – la majeure partie est souterraine.

Des réserves énormes mais fragiles

Les nappes souterraines fournissent en eau douce le réseau superficiel. Elles possèdent également souvent dans leurs profondeurs, des couches d'eau prisonnières, aux volumes parfois très importants et n'entretenant que peu de relations avec la surface. Mais le renouvellement de ces eaux peut être lent. Il est en moyenne de 5 000 ans (de 300 ans pour les plus proches de la surface du globe et les plus vives). Certaines, parmi les plus profondes, renferment des eaux fossiles*, âgées parfois de près de 70 000 ans, qui ne se renouvellent pas. Ces réserves sont une vraie richesse, dont il faut toutefois user modérément, car elles n'ont pas toutes la même capacité à combler les emprunts.

Question de volume
1 kilomètre cube correspond au volume d'un cube de 1 kilomètre de côté : il équivaut à un milliard de mètres cubes, ou encore à mille milliards de litres.

Des flux abondants

Les réserves les plus directement accessibles et les plus abondamment utilisées par l'homme, les eaux courantes

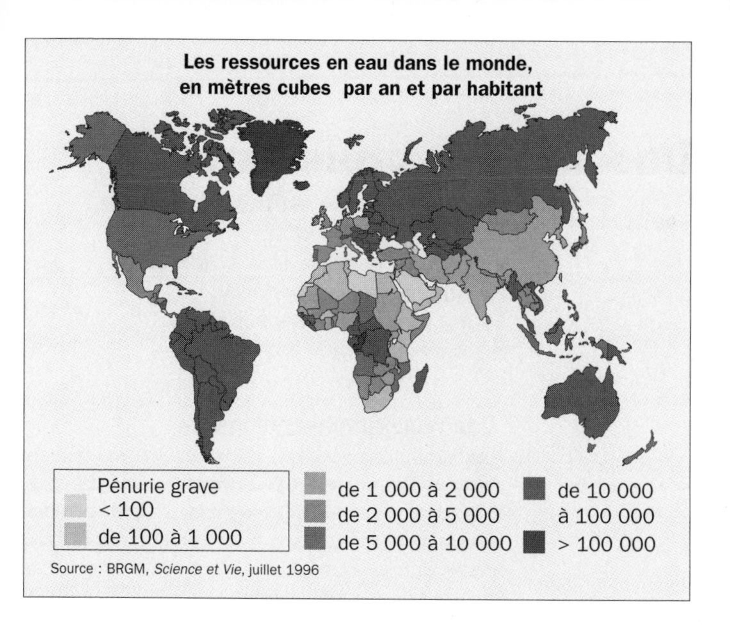

Source : BRGM, *Science et Vie*, juillet 1996

de surface, les rivières et les fleuves, ne s'élèvent qu'à 1 250 kilomètres cubes. Un tel volume peut paraître faible, mais il ne représente que l'état de ces réserves à un instant donné. En réalité, la quantité potentiellement disponible est bien plus importante car l'eau se renouvelle en permanence grâce à son cycle. On estime à environ 40 000 kilomètres cubes d'eau « neuve », l'apport annuel de l'ensemble des cours d'eau du globe terrestre.

Une inégalité flagrante
Une dizaine de pays se partagent 60 % des réserves mondiales en eau.

Une répartition inégale

Néanmoins, tous ces chiffres sont des valeurs globales qui concernent l'ensemble de la planète. Or la répartition de l'eau est totalement inégale. En effet, si certains pays sont bien dotés en eau (aux latitudes moyennes et tropicales), d'autres en manquent cruellement ; c'est le cas, bien sûr, des régions arides qui recouvrent aujourd'hui 31 % des terres émergées. Or cette disparité devrait s'accentuer, car selon une estimation des Nations unies, 40 % des terres émergées du globe seraient aujourd'hui touchées par le phénomène de désertification.

Les réserves d'eau douce sont globalement limitées mais elles se renouvellent, pour partie, régulièrement. Elles sont surtout très diversement réparties sur l'ensemble du globe.

Des besoins croissants

Des siècles durant, les modes de vie évoluant lentement, la population mondiale est restée relativement stationnaire ou en croissance modérée. Tout a commencé à s'accélérer il y a deux siècles environ.

Une démographie galopante

L'humanité connaît depuis deux siècles une poussée démographique qui, après avoir touché les pays les plus riches, concerne aujourd'hui les pays pauvres. L'augmentation explosive de la population de ces pays semble difficile à enrayer.
La population mondiale, qui était de 750 millions d'individus vers 1750 puis de 1,7 milliard au début du siècle, approche aujourd'hui les 6 milliards.
Et si ce rythme se maintient, elle pourrait doubler d'ici à la fin du siècle prochain.

Un essor industriel et agricole

Parallèlement à cette impressionnante croissance démographique, l'humanité a connu un développement industriel et agricole exceptionnel.
Les apparitions de nouvelles techniques, de nouveaux procédés, de nouveaux outils, ont eu pour conséquence le développement de nouveaux usages de l'eau, qui se sont ajoutés à ses utilisations traditionnelles.
Mais surtout, et afin de faire face à la nécessité de subvenir aux besoins alimentaires d'un nombre toujours croissant d'individus, les surfaces cultivées ont augmenté et l'agriculture s'est intensifiée.
Toujours plus d'eau est dépensée pour l'irrigation, notamment dans les pays les plus chauds généralement mal approvisionnés.

Une grande consommatrice
Plus de 70 % des prélèvements d'eau à l'échelle planétaire servent à l'irrigation.

Sans remplacement
Même les nappes d'eau fossiles* des déserts d'Arabie et de Libye sont exploitées à des fins d'irrigation, malgré un risque d'épuisement rapide et sans espoir de renouvellement.

Un gaspillage individuel quotidien

L'urbanisation – qui est aussi l'accès de plus en plus facilité à l'eau potable – s'est accompagnée d'une augmentation de la consommation.

Aujourd'hui, les Européens consomment en moyenne, pour leur usage quotidien, 8 fois plus d'eau que leurs grands-parents. Les consommations sont très inégales de par le monde.

On constate que le gâchis est d'autant plus grand que le niveau de vie moyen est important.

La consommation moyenne d'eau potable par jour et par habitant est, par exemple, de plus de 300 litres aux États-Unis alors qu'elle est de 100 à 200 litres en Europe et seulement de quelques litres dans certains pays en voie de développement.

Une consommation mondiale en hausse

Les conséquences de cette exploitation incontrôlée et abusive de l'eau sont spectaculaires : la consommation a progressé deux fois plus rapidement que la croissance démographique.

Ainsi, toutes utilisations confondues, la consommation d'eau dans l'ensemble du monde a quadruplé entre 1940 et 1990 – la population mondiale n'ayant fait que doubler durant la même période.

Les besoins actuels de la planète sont évalués, en moyenne, à environ 500 mètres cubes par an et par habitant. Mais, d'ici à la fin du siècle prochain ces besoins pourraient doubler – comme la population –, ce qui multiplierait par 4 la demande effective…

L'explosion démographique, l'essor industriel, le développement de l'agriculture et l'augmentation du niveau de vie des populations sont à l'origine des besoins croissants en eau de l'humanité.

Des pénuries annoncées

Même si certaines contrées ont toujours connu des difficultés pour s'approvisionner en eau, celles-ci vont s'accroissant et touchent un nombre toujours plus grand de pays.

L'eau est inépuisable à l'échelle planétaire

Par rapport aux autres matières premières dont les stocks, irrémédiablement limités, ne peuvent que diminuer, l'eau possède un atout majeur. Pour une part de ses réserves, elle se renouvelle naturellement et sans cesse.
Il paraît donc difficile d'épuiser, de manière globale et définitive, les ressources potentielles très abondantes de la planète.

Des difficultés qui s'accroissent

Les ressources effectives, disponibles à un instant donné, n'en demeurent pas moins limitées. Chaque jour la marge se resserre entre les besoins qui s'accroissent d'une façon vertigineuse, et la disponibilité de l'eau qui a tendance à diminuer en raison d'une certaine désertification de la planète.
Mais aussi, et peut-être surtout, au-delà de l'aspect quantitatif, la mauvaise qualité de l'eau pose un réel problème. En effet la pollution pourrait rendre les réserves progressivement inexploitables.

Un approvisionnement incertain

Comme le flux des ressources en eau n'est pas régulier dans le temps, celle-ci peut arriver à manquer de manière occasionnelle, même dans les pays tempérés parmi les plus favorisés.
Ce flux varie en fonction des saisons et des années, rendant difficile la gestion des stocks. Durant ces périodes de manque, les rivières se tarissent,

le volume des nappes diminue et, par conséquent, la pollution augmente. Nous avons pu observer cela au printemps 1997 en France, où des mesures d'urgence ont dû être envisagées afin de réduire la consommation d'eau.

Un manque chronique

Mais surtout, l'eau est suffisamment mal répartie pour poser d'ores et déjà de graves et constants problèmes à certains pays très défavorisés.

C'est ainsi qu'avec moins de 1 000 mètres cubes d'eau disponibles par an et par habitant et des pénuries régulières et générales, vingt-quatre d'entre eux, notamment en Afrique du Nord et au Moyen-Orient, sont déjà en situation dite de « pénurie chronique ».

Disponibilité
La quantité mondiale d'eau douce disponible par habitant, toutes utilisations confondues, aurait diminué d'environ 40 % depuis 1970.

En outre, les prévisions sont alarmistes : en 2025 les deux tiers de l'humanité devraient être en situation dite de « stress hydrique », avec moins de 2 000 mètres cubes d'eau disponibles par an et par habitant.

Quelles sont les perspectives ?

Aujourd'hui, la raréfaction de cette matière première semble, de l'avis général, inévitable : l'humanité risque, à l'avenir, de manquer d'une eau qui soit à la fois de bonne qualité et bon marché.

Même les pays tempérés sont à la recherche de nouvelles sources d'eau potable. Dorénavant, chacun va donc devoir développer de nouvelles pratiques afin de rationaliser l'usage de ses ressources en eau.

Cela permettra-t-il de résoudre les difficultés les plus âpres ? Certes non…

Projection
D'ici à cinquante ans, seuls une trentaine de pays devraient pouvoir s'autosuffire en eau.

Si la ressource est inépuisable, l'accroissement des besoins planétaires, des terres arides et de la pollution augmente chaque jour le risque de pénurie chronique pour de nombreuses régions du globe.

Un état des eaux françaises

L'eau qui tombe du ciel couvre largement les besoins des Français. Mais qu'en est-il de la qualité des réserves ?

Retard à la pollution
La pollution actuelle de certaines nappes souterraines vient des nitrates répandus il y a vingt ou trente ans, et dont l'infiltration s'est faite lentement. Aujourd'hui, un tiers de la ressource est menacée par ces produits.

Une ressource globalement excédentaire

Il n'existe pas de risque de pénurie générale d'eau en France. Le pays dispose en effet d'un stock de 1 000 milliards de mètres cubes et d'un apport annuel de l'ensemble des cours d'eau de 191 milliards de mètres cubes sur lesquels ne sont prélevés que 40 milliards par an. Mais comme partout, cet apport varie avec les saisons et est très mal réparti, puisque plus de la moitié de l'écoulement total concerne moins du quart du territoire. Les besoins aussi ont augmenté surtout à cause de l'accroissement rapide des surfaces irriguées qui ont triplé de 1970 à 1995. Cela explique que certaines régions connaissent parfois des difficultés en période de sécheresse.

Les pesticides à l'honneur
La France, qui en utilise 95 000 tonnes chaque année, est la première consommatrice de pesticides en Europe.

Une qualité très médiocre

La nouvelle politique de l'eau et les investissements de ces vingt dernières années ont permis de lutter efficacement contre la pollution due aux rejets ponctuels d'origine industrielle et urbaine. Pourtant la qualité des rivières ne s'est guère améliorée.

En effet, cette pollution organique et toxique n'a diminué que pour céder la place à une pollution diffuse (par les nitrates et les pesticides), due à l'agriculture et à l'élevage. On retrouve désormais ces substances dans les eaux souterraines, côtières, pluviales et jusqu'au robinet...

La pollution des rivières bretonnes par les nitrates

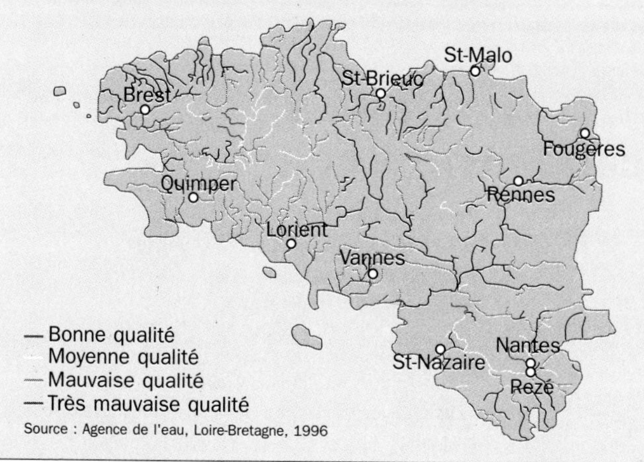

Source : Agence de l'eau, Loire-Bretagne, 1996

Un cas particulier

La Bretagne est l'une des régions les plus touchées : 70 % de la ressource y est menacée. Là, comme ailleurs, les agriculteurs sont mis en cause : l'élevage industriel des porcs et de la volaille et la culture intensive – notamment du maïs très gourmand en eau et pesticides – sont incriminés. Toute extension de porcherie y est désormais interdite et la région vient enfin d'être classée « zone vulnérable » vis-à-vis des nitrates. Ce qui signifie qu'une agriculture plus « raisonnée » devra y être mise en place.

Maigres rendements
Le taux de dépollution des stations d'épuration est en moyenne de 45 %. En fait, plus de la moitié de la pollution domestique est encore rejetée dans l'environnement.

Les perspectives

L'évaluation de l'ampleur et de la gravité de ce phénomène est récente. On s'est plus ou moins contenté, jusqu'à présent, de fermer les sites de captages des eaux contaminées ou de mélanger les eaux pour diluer la pollution. Rien n'a encore été tenté pour réellement inciter les agriculteurs à modifier leurs pratiques. L'utilisation de certains pesticides commence tout juste à être réglementée. Aujourd'hui les coûts estimés des travaux à entreprendre pour protéger les réserves et améliorer la qualité de l'eau potable, afin de se mettre aux normes européennes, sont exorbitants. La France arrivera-t-elle à être au rendez-vous ?

La France est un pays richement doté en eau mais ses réserves continuent à se dégrader. Au rang des coupables : la culture intensive et l'élevage industriel.

Que faire ? Économiser l'eau

Face à la croissance démographique mondiale, les ressources en eau douce étant limitées, il est urgent désormais d'éviter tout usage excessif et intempestif de l'eau.

Préserver les réserves

Sauvegarder les ressources en eau requiert une bonne gestion.

Il s'agit de bien connaître les besoins des divers usagers et les capacités de renouvellement des réservoirs naturels où l'eau est puisée et de diversifier et réglementer les prélèvements pour éviter tout risque d'épuisement.

Il faut également maintenir un couvert végétal suffisant pour que les sols ne se dessèchent pas, éviter le recours aux techniques traditionnelles d'irrigation (qui rendent les sols incultes) ou à la construction d'ouvrages de trop grande envergure, aux conséquences écologiques parfois irréparables.

Réduire les gaspillages

Dans le même temps et à tous les niveaux de responsabilité (États, professionnels et particuliers), chacun se doit aujourd'hui de prêter attention à sa consommation.

Certaines solutions existent déjà : équipements moins gourmands et limitateurs de débit pour l'eau domestique, réfection des réseaux afin d'en minimiser les fuites, utilisation d'une eau moins épurée (une eau de pluie ou une eau de rivière filtrée) quand l'eau potable n'est pas indispensable.

Ou encore circulation en circuit fermé de certaines eaux industrielles et utilisation de techniques d'irrigation moins gourmandes.

Éduquer

Mais tenter de modifier les comportements demande qu'une véritable révolution s'opère dans les esprits accoutumés à consommer sans scrupule l'eau disponible.
Il s'agit de responsabiliser les acteurs industriels et agricoles susceptibles de consommer beaucoup d'eau, et d'instruire les populations sur les problématiques de l'eau et sur la nécessité de l'économiser et de la respecter.
L'introduction d'une éducation à l'environnement dans les programmes éducatifs afin de développer très tôt chez les jeunes une sensibilité à ces questions serait certainement très profitable.

Une expérience d'économie d'eau
Grâce à une importante campagne d'information, la ville de Francfort en Allemagne a réussi, sans frais excessifs, à diminuer d'environ 15 % sa consommation en eau potable.

Faire payer ?

Ces dernières années, dans les pays industrialisés, des dispositions plus strictes et un prix plus élevé ont permis une réduction de la consommation d'eau, et notamment d'eau industrielle.
Mais il reste encore beaucoup à faire.
Tenter de faire diminuer la consommation de l'eau à usage domestique, en augmentant son prix, pénaliserait les faibles revenus et ne paraît donc pas souhaitable.
En revanche, cela pourrait être envisagé pour l'industrie et surtout pour l'agriculture qui bénéficie toujours, notamment en France, d'un prix très bas.

Quel gâchis !
En moyenne, 60 % de l'eau employée pour l'irrigation traditionnelle ne parviendrait pas à la plante et serait donc prélevée en pure perte.

Une meilleure gestion des volumes d'eau disponibles passe par la préservation et la surveillance du niveau des réserves et par une utilisation plus économe de l'eau.

Que faire ? Protéger l'eau

Utiliser l'eau de manière plus rationnelle ne suffit pas car, outre la quantité d'eau disponible, la qualité de l'eau est également extrêmement importante.

Lutter contre la pollution

Plutôt que de tenter de réhabiliter les milieux aquatiques contaminés ou de multiplier les traitements, il est bien sûr préférable de ne pas polluer. Il s'agit donc d'encourager le développement de technologies plus propres et l'utilisation de produits biodégradables*, d'inciter à une utilisation moins abusive des engrais et des pesticides, voire de stimuler l'agriculture biologique. Il faudrait également protéger les points de captage, épurer les effluents* industriels et urbains et faire en sorte que les dépôts de déchets toxiques soient rendus étanches à l'infiltration des eaux.

Un recyclage audacieux
L'emploi comme engrais des boues issues de l'épuration des eaux usées ne va pas sans risques. Il peut être la cause d'une pollution des sols par les métaux lourds.

Assainir les eaux domestiques usées

Après emploi, il importe que l'eau soit rendue à son cycle naturel dans un état de qualité qui n'en compromette pas les usages futurs.
Dans les pays industrialisés, l'eau est effectivement de plus en plus souvent collectée et acheminée vers des stations d'épuration.
Mais désormais, il faudrait que les eaux de pluie des zones très urbanisées soient elles aussi traitées.
Dans les stations, les plus gros déchets sont retenus

par des grilles, le sable est séparé de l'eau par décantation et l'huile surnageante est extraite.
Puis l'eau est oxygénée et son épuration biologique est réalisée à l'aide de bactéries capables de décomposer les matières organiques (les excréments par exemple).
Elle est ensuite clarifiée : toutes les matières en suspension sont éliminées.
Les boues issues de ces traitements sont soit incinérées, soit transformées pour être utilisées sous forme déshydratée comme engrais. L'eau épurée est ensuite rendue aux rivières.

Épurer les effluents industriels

Les effluents industriels, quant à eux, contiennent toutes sortes de polluants qui sont parfois très difficiles à éliminer – hydrocarbures, métaux lourds ou autres.
Leur admission dans un réseau urbain de collecte va souvent nécessiter un traitement préalable spécifique qui n'est pas toujours effectué.
Pour éviter tout risque de pollution, il serait préférable que les usines fonctionnent en circuit fermé, en réutilisant leurs eaux.
Ou alors que chacune d'elles soit équipée de sa propre station d'épuration.

Surveiller la qualité de l'eau

Pour s'assurer de la pérennité de la qualité des eaux, une surveillance de tous les instants est essentielle.
En France, depuis peu, conseils généraux et municipaux, collectivités locales, associations de défense de l'environnement commencent à exercer un certain contrôle. Ils avertissent, préviennent, informent.
Mais à une plus grande échelle, cette action locale ne suffit plus : trop de villes importantes avec leur cortège d'industries sont concernées.
C'est aux pouvoirs publics de prendre le relais et, si nécessaire, de décider de mesures de protection, d'édicter des lois.

L'épuration des eaux usées urbaines et industrielles et une modification des pratiques agricoles sont indispensables à la conservation de la qualité de l'eau.

La politique de l'eau en France

En France, les lois sur l'eau ont progressivement évolué, faisant reculer la notion d'eau privée au profit de l'idée de partage.

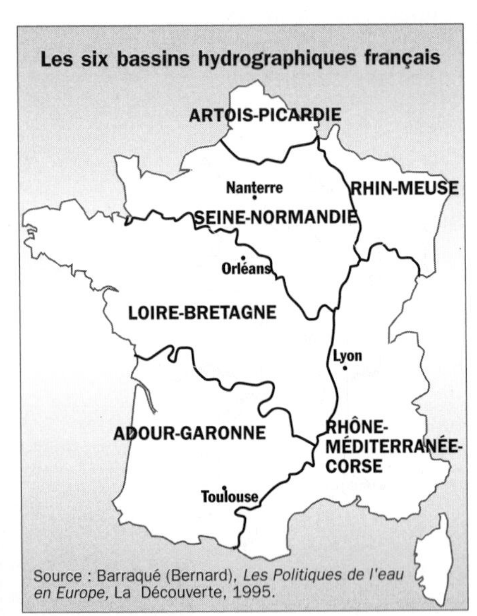

Source : Barraqué (Bernard), *Les Politiques de l'eau en Europe*, La Découverte, 1995.

Qu'est-ce qu'un bassin hydrographique ?

Un fleuve, tous ses affluents et tous les cours d'eau contribuant à les alimenter, constituent un réseau hydrographique.
Ce réseau irrigue un ensemble de terres appelé bassin hydrographique.
Ce bassin constitue un système écologique cohérent dont l'eau, la terre, les ressources minérales et végétales sont les différentes parties. En France, il existe six bassins hydrographiques qui correspondent aux six grands fleuves français.

La nouvelle loi sur l'eau

La première loi à planifier la gestion de l'eau et de son service date du 16 décembre 1964.
Elle était déjà fondée sur la notion de bassin hydrographique dont elle promouvait la gestion globale dans l'intérêt de tous.
Puis la loi du 3 janvier 1992 est venue la compléter, faisant évoluer quelque peu ses principes et ses institutions, tout en instaurant une plus grande participation des collectivités locales.

Les principes

Cette loi de 1992 définit l'eau comme un patrimoine commun à tous, qui doit être géré de manière à ce que son usage soit partagé. Elle s'intéresse aussi bien à la protection des écosystèmes* qu'au développement et à l'utilisation équilibrée de la ressource. Il s'agit donc, dans le cadre des dispositions de cette loi, de rechercher constamment un équilibre entre des impératifs écologiques et des intérêts économiques souvent difficilement conciliables.

Une redevance détraquée
Gros consommateurs et gros pollueurs, les agriculteurs ne contribuent qu'à hauteur de 2 % aux redevances des agences de l'eau. Aux consommateurs domestiques et aux industriels de payer le reste !

Les institutions

Au niveau de chaque bassin, l'eau est administrée par le préfet, qui est aidé par les directions régionales de l'environnement (DIREN), par le comité de bassin et par l'agence de l'eau. Le préfet représente l'État auprès du comité de bassin. Ce dernier, sorte de parlement local, émet des avis et élabore une politique qui doit concilier les besoins du bassin avec les orientations nationales. L'agence de l'eau est l'organisme opérationnel.

Les résultats

Les agences de l'eau ont, entre autres, pour mission de connaître et gérer les ressources et les besoins du bassin et de protéger et réhabiliter les milieux aquatiques. Pour ce faire, elles perçoivent des redevances, qui doivent être établies selon le principe « pollueur-payeur », et donc pénaliser les pollueurs en fonction de l'effet de leurs prélèvements ou de leurs rejets sur les écosystèmes. Elles subventionnent en retour les équipements jugés nécessaires.
Mais depuis leur création, la pollution ne s'est pas améliorée, la qualité de l'eau potable a diminué et son prix augmenté. Critiqué depuis longtemps, jugé confus et inopérant, le fonctionnement de ces agences est aujourd'hui mis en cause par la Cour des comptes et le Commissariat au Plan, qui préconisent une réforme.

En France, les milieux aquatiques font partie du patrimoine commun de la nation. Ils sont protégés par les institutions de bassin qui ont la charge d'en partager l'usage.

L'eau, une source de conflits

D'après une étude réalisée pas les Nations unies, dans cinquante ans l'eau devrait être un bien encore plus précieux que le pétrole.

Une ressource essentielle à la survie de l'humanité

L'eau est nécessaire à tout. Aucun développement économique n'est possible en l'absence d'eau.
Quand un pays manque d'eau, il ne peut plus irriguer ses champs ni produire de récoltes en suffisance : le manque d'eau est en grande partie responsable de la faim qui sévit dans certains pays. Quant de surcroît la qualité de l'eau est mauvaise, des maladies, voire des épidémies, se développent, provoquant un grand nombre de morts.

Un enjeu puissant

L'importance de l'eau est telle que la consommation par habitant est considérée aujourd'hui comme un indice du développement économique d'un pays, au même titre que le produit national brut. L'eau est donc un bien très précieux, d'autant plus cher aux nations qu'elles en manquent. Au regard de la répartition très inégale des ressources sur la surface du globe, rien de surprenant donc à ce que l'eau soit devenue un enjeu si puissant au niveau planétaire. Certains prédisent même qu'elle pourrait devenir celui des prochaines guerres, se substituant au pétrole et aux volontés expansionnistes.

Un avenir incertain
Si rien n'est fait d'ici trente ans, la moitié du bassin méditerranéen devrait connaître de graves pénuries d'eau, ce qui augmenterait d'autant les risques de conflits.

Un partage difficile

Il n'est pas rare que deux pays soient riverains d'un même cours d'eau, celui-ci désignant la frontière ou encore s'en jouant, en serpentant d'un pays à l'autre. Tant que les pays concernés acceptent de partager cette eau qui coule chez chacun d'eux, tout se passe pour le mieux. Mais lorsque l'eau manque, chacun

Source :
Science et Vie,
juillet 1996.

voudrait pouvoir jouir impunément de cette précieuse richesse. Cette situation géographique est alors à l'origine de conflits qui peuvent être très durs surtout quand l'eau transgresse les frontières. Car elle peut devenir alors un véritable instrument de pouvoir aux mains des nations situées en amont : celles-ci, en ayant la faculté de priver d'eau leurs voisins et d'influer ainsi sur leur croissance économique, sont en effet en position de force.

Une situation critique au Moyen-Orient

De nombreux pays ont un contentieux à propos de l'eau, surtout au Moyen-Orient, où une dizaine de foyers de tensions existent. La Syrie, la Turquie et l'Irak, par exemple, ont en commun l'Euphrate et le Tigre qui prennent naissance dans les montagnes turques pour s'écouler ensuite en Syrie puis en Irak. Mais un grand projet d'aménagement hydraulique turc, ayant déjà réduit d'un tiers le débit de l'Euphrate, menace l'approvisionnement en eau des pays situés en aval. En soutenant la guerre d'indépendance menée par les Kurdes en Turquie, la Syrie a eu jusqu'à présent une capacité de négociation suffisante pour maintenir un certaine équilibre dans le rapport des forces. Elle réclame un traité international définitif sur cette question que la Turquie, pour sa part, n'estime pas nécessaire.

Nombre d'États étant tentés d'utiliser l'eau comme un moyen de pression politique, la maîtrise de cette ressource « stratégique » pourrait devenir le principal moteur des guerres du siècle prochain.

Vers une gestion mondiale de l'eau ?

Face à la raréfaction inévitable de l'eau douce, la gestion des ressources en eau doit désormais se penser à l'échelle planétaire.

Le premier sommet de la Terre

Au premier sommet mondial sur l'environnement qui réunissait, sous l'égide des Nations unies en juin 1992 à Rio, les représentants de cent quatre-vingts pays, l'eau s'est faite discrète.

Les discussions d'alors ont davantage porté sur la biodiversité (la diversité des espèces vivantes, animales ou végétales), le climat et la désertification. Aucune conclusion n'a été émise concernant l'eau spécifiquement.

Le premier forum sur l'eau

Depuis 1992, un forum mondial de l'eau s'est tenu à Marrakech (au Maroc), les 21 et 22 mars 1997. Au regard des perspectives très préoccupantes en matière de disponibilité en eau, tous les participants ont estimé que l'eau risquait de devenir, dans un avenir proche, une denrée monnayable et chère, à l'instar du pétrole. Ils ont aussi exprimé leur crainte qu'elle devienne le ressort de nouvelles guerres, voire d'une véritable crise mondiale, l'or noir cédant la place à l'or bleu. Malgré ce constat, aucune proposition n'a cependant été faite.

La fin d'une chimère

Trois mois après, le deuxième sommet de la Terre, chargé d'analyser la situation (cinq ans après celui de Rio),

se tenait à New York. Pessimistes et sans illusions, les délégations internationales dressaient un bilan misérable : les engagements pris par les gouvernements n'ont pas été tenus, les financements promis n'ont pas été distribués, l'aide publique a baissé.
Et pendant ce temps, l'environnement a continué à se dégrader.
Cette fois-ci, l'eau a eu le triste privilège d'être promue au rang de question prioritaire sans pour autant faire l'objet d'aucune décision.

Une énième conférence
À l'initiative de la France, une nouvelle conférence sur l'eau s'est tenue du 19 au 21 mars 1998 à Paris. Elle fut suivie le 22 mars par la journée mondiale de l'eau.

L'impuissance des états

Alors que la conscience du mauvais état de la planète va croissant, que les problèmes d'environnement deviennent un souci quotidien pour nombre d'individus et que, montrant l'inquiétude des nations, les conférences internationales se multiplient, on assiste à une incapacité des États à définir une stratégie commune d'action.
Pourtant, l'heure est grave car les scénarios pour le futur ne sont pas nombreux.
Les pays qui manquent d'eau ne disposent pas d'une infinité de solutions : ils devront soit se la procurer les armes à la main, soit l'acheter.

Vers un marché de l'eau ?

Les investissements mondiaux nécessaires à la mise en place de mesures classiques d'économie et de protection de la ressource ont été estimés par la Banque mondiale à environ 800 milliards de dollars.
Mais qui les paiera et empêcheront-ils les gaspillages ?
Beaucoup d'experts préconisent de faire payer l'eau.
Mais qui en fixera le prix ?
Pour inciter davantage à la discussion qu'au conflit, la répartition devra être équitable : qui s'en chargera ?
Autant de questions sans réponses aujourd'hui et qui tendent à montrer que le partage de l'eau sera sans nul doute le défi majeur du siècle prochain.

À l'heure du constat le plus sévère en matière d'environnement, alors qu'un risque majeur de pénurie d'eau menace l'humanité, on assiste à une incapacité des États à définir une politique commune.

Glossaire

Adsorption : fixation d'une particule sur la surface d'un matériau.

Aquifère : formation géologique permettant l'infiltration, le stockage et la circulation de l'eau en sous-sol.

Atome : plus petite quantité de matière conservant son individualité une fois isolée.

Aven : cavité à ciel ouvert creusée par les eaux d'infiltration en région calcaire.

Biocénose : ensemble de tous les animaux et végétaux vivant en équilibre dans un milieu physique donné.

Biomasse : masse de toute la matière vivante présente à un instant donné dans un biotope*.

Biosphère : toutes les fractions de la planète et de son atmosphère où peuvent vivre naturellement animaux ou végétaux.

Biotope : milieu physique procurant à une population animale et végétale des conditions d'habitat stables.

Biodégradable : décomposable par des organismes vivants.

Charbon actif : squelette carboné très poreux, obtenu par calcination de substances organiques, capable d'adsorber des molécules ou des micro-organismes tels que des bactéries.

Charbon actif biologique : charbon actif* possédant des micro-organismes accrochés à ses parois.

Dureté : teneur en certains sels* métalliques dont les plus abondants sont les sels de calcium et de magnésium.

Écosystème : unité écologique constituée du biotope*, l'habitat, et de la biocénose*, les organismes qui y vivent.

Effluents : les effluents urbains sont l'ensemble des eaux usées et de ruissellement issues de la ville ; les effluents industriels sont l'ensemble des eaux rejetées des sites industriels.

Élémentaire : se dit d'une particule que l'on ne peut diviser en particules plus petites.

Eutrophisation : forme particulière de pollution aquatique entraînant la prolifération de certaines algues et l'asphyxie du milieu.

Fossile (eau) : eau très ancienne, n'ayant pas été renouvelée depuis des dizaines de milliers d'années.

Frayère : lieu de reproduction des poissons.

Gaz carbonique ou dioxyde de carbone : corps composé, soluble dans l'eau, dont la molécule (CO_2) est formée d'un atome de carbone (C) lié à deux atomes d'oxygène (O) ; dans l'eau, cette molécule se transforme en un ion carbonate (CO_3^{2-}).

Gravité : attraction exercée par la Terre sur tous les corps.

Hydrosphère : toutes les fractions de la planète et de son atmosphère contenant de l'eau.

Karst : région au relief karstique.

Karstique : terrain à prédominance calcaire où l'eau a creusé des cavités aux formes particulières telles que avens*, failles et galeries.

Limon : dépôt meuble formé de très fins débris de roches, charrié par les fleuves et servant d'engrais.

Météorite : petit corps traversant l'espace interplanétaire.

Molécule : groupe fini et stable d'atomes liés entre eux selon un dessin bien défini.

Glossaire (suite)

Nappe phréatique : nappe d'eau souterraine qui provient de l'infiltration des eaux de pluie et alimente des sources.

Nébuleuse : nuage de gaz et de poussières de l'espace interstellaire.

Oligoélément : substance présente à l'état de trace dans les organismes vivants mais indispensable à leur croissance.

Photosynthèse : processus par lequel les plantes, grâce à l'énergie solaire et au gaz carbonique de l'air, synthétisent leurs glucides en rejetant de l'oxygène.

Sel : substance dont la molécule est constituée par l'association d'ions de signes opposés. Le plus connu est le sel de table ou chlorure de sodium, dont la molécule* est formée de l'association d'un ion sodium positif (Na^+) et d'un ion chlorure négatif (Cl^-).

Trophique : relatif à la nutrition des organes et des tissus.

Adresses utiles

Les administrations centrales

Ministère de l'Aménagement du territoire et de l'Environnement, direction de l'eau :
20, avenue de Ségur, 75302 Paris 07 SP
Tél. : 01 42 19 20 21
Ministère de l'Emploi et de la Solidarité secrétariat d'État à la Santé :
1, place de Fontenoy, 75350 Paris
Tél. : 01 40 56 60 00
Ministère de l'Équipement, du Logement, des Transports et du Tourisme :
La Grande Arche, 92055 La Défense Cedex
Tél. : 01 40 81 21 22

Les agences de l'eau

Agence Artois-Picardie
764, bd Lahure, BP 818, 59508 Douai Cedex
Tél. : 03 27 99 90 00
Agence Seine-Normandie
51, rue Salvador-Allende, 92027 Nanterre Cedex
Tél. : 01 41 20 16 00
Direction régionale Île-de-France
Tél. : 01 41 20 16 10
Agence Loire-Bretagne
avenue de Buffon, BP 6339, 45063 Orléans Cedex 2
Tél. : 02 38 51 73 73
Agence Adour-Garonne
90, rue Férétra, 31078 Toulouse Cedex
Tél. : 05 61 36 37 38
Agence Rhône-Méditerranée-Corse
20, avenue Tony-Garnier, 69363 Lyon Cedex 07
Tél. : 04 72 71 26 00
Agence Rhin-Meuse
Route de Lessy, Rozérieulles, BP 19, 57161 Moulins-les-Metz Cedex
Tél. : 03 87 34 47 00

L'information et la documentation

Office international de l'eau (OIE) :
Direction de la documentation et des données
Rue Édouard-Chamberland,
87065 Limoges Cedex
Tél. : 05 55 11 47 80
Minitel : 3617 EAUDOC
Bureau de recherches géologiques et minières (BRGM) :
Service géologique régional
3, avenue Claude-Guillemin, 45100 Orléans
Tél. : 02 38 64 38 65
Institut français de l'environnement (IFEN) :
(élabore et diffuse documentations et informations)
61, boulevard Alexandre-Martin, 45000 Orléans
Tél. : 02 38 79 78 78
Centre d'information sur l'eau :
38, rue de Courcelles, BP 5, 75362 Paris Cedex 8
Tél. : 01 42 56 20 00
Minitel : 3615 CIEAU
Mairie de Paris : (information sur l'eau de Paris)
Serveur vocal : All'eau de Paris 0802 012 012
Minitel : 3615 PARIS puis EAU

Bibliographie

Ouvrages généraux

BERNADIS (Marie-Agnès) et NESTEROFF (Anne), direction de l'ouvrage, *Le Grand Livre de l'eau,* La Manufacture et la Cité des sciences et de l'industrie, 1990.

DE MARSILY (Ghislain), *L'Eau,* coll. « Domino », Flammarion, 1995.

DURAND-DASTES (François), *Les Eaux douces, abondances, sécheresses et conflits,* Rageot Éditeur, 1992.

FAUROBERT (Louis), *L'Eau, notre vie,* Éditions Équilibres aujourd'hui, 1992.

LAMY (Michel), *L'Eau de la nature et des hommes,* Presses universitaires de Bordeaux, 1995.

LERAY (Guy), *Planète Eau,* Cité des sciences et de l'industrie, Presses Pocket, 1990.

PÉDOYA, *La Guerre de l'eau,* Frison-Roche, 1990.

RAPINAT (Michel), *L'Eau,* coll. « Que sais-je ? », PUF, 1982.

ROUX (Jean-Claude), *L'Eau, source de vie,* Éditions du BRGM, 1995.

Ouvrages sur l'eau comme substance chimique

CARO (Paul), *De l'eau,* Hachette, 1992.

DIVET (Louis) et SCHULHOF (Pierre), *Le Traitement des eaux,* coll. « Que sais-je ? », PUF, 1980.

Ouvrages sur l'eau de la Terre

AUBY (Jean-François), *Les Eaux minérales,* coll. « Que sais-je ? », PUF, 1994.

JACQUES (Guy), *Le Cycle de l'eau,* Hachette, 1996.

ROCHEFORT (Michel), *Les Fleuves,* coll. « Que sais-je ? », PUF, 1969.

ROMANOVSKY (V.) et CAILLEUX(René), *La Glace et les Glaciers,* coll. « Que sais-je ? », PUF, 1970.

TROMBE (Félix), *Les Eaux souterraines,* coll. « Que sais-je ? », PUF, 1977.

Ouvrages sur la pollution de l'eau

CAZALAS (François) et GAUTRON (René), *Maîtriser les pollutions,* Les éditions de l'environnement, 1993.

DEFRANCESCHI (Mireille), *L'Eau dans tous ses états,* Ellipses, 1996.

GOUVERNE (Louisette), *Histoires d'eau, enquête sur la France des rivières et des robinets,* Calmann-Lévy, 1994.

GUILLEMIN (Claude) et ROUX (Jean-Claude), *Pollution des eaux souterraines en France,* Éditions du BRGM, 1992.

INSTITUT FRANÇAIS de l'ENVIRONNEMENT, *Rapport sur l'état de l'environnement en France 1994-1995,* Dunod et IFEN, 1994.

LEROY (Jean-Bernard), *La Pollution des eaux,* coll. « Que sais-je ? », PUF, 1986.

Ouvrages sur la gestion de l'eau

BARRAQUÉ (Bernard), *Les Politiques de l'eau en Europe,* La Découverte, 1995.

CANS (Roger), *La Bataille de l'eau,* Le Monde Éditions, 1994.

CHESNOT (Christian), *La Bataille de l'eau au Proche-Orient,* L'Harmattan, 1993.

NICOLAZO (Jean-Loïc), *Les Agences de l'eau,* Pierre Johanet et ses fils éditeurs, 1994.

NOWAK (Françoise), *Le Prix de l'eau,* Économica, 1995.

SIRONNEAU (Jacques), *L'Eau, nouvel enjeu stratégique mondial,* Économica, 1996.

Bibliographie (suite)

Ouvrages illustrés

FRANCESCHETTI (Bortolo), *Les Fleuves*, Éditions Atlas, 1981.

JOHN (Brian), *Le Monde des glaces*, Éditions Atlas, 1980.

PRINGLE (Laurence), *Fleuves et Lacs*, Éditions Time-Life, 1985.

Ouvrages pour la jeunesse

COCHRANE (Jennifer), *L'Eau*, Bias Éditeur, 1989.

COLAS (René), *Papa dis-moi, l'eau qu'est-ce que c'est ?*, Ophrys, 1981.

MAURY (Jean-Pierre), *Papa dis-moi, la glace et la vapeur qu'est-ce que c'est ?*, Ophrys, 1989.

MILLON (V.), *L'Eau dans tous ses états*, Rouge et Or, 1989.

VEIT (B.) et WOLFRUM (C.), *L'Eau de notre planète*, Découverte Cadet Gallimard, 1994.

Index

Le numéro de renvoi correspond à la double page, sauf pour les pages 17, 19, 21.

Dans la collection *Les Essentiels Milan*
derniers titres parus

Dans la collection *Les Essentiels Milan Junior*

Responsable éditorial
Bernard Garaude
Directeur de collection – Édition
Dominique Auzel
Secrétariat d'édition
Anne Vila
Correction – Révision
Pierre Casanava
Iconographie
Sandrine Batlle
Conception graphique
Bruno Douin
Maquette
Isocèle
Fabrication
Isabelle Gaudon
Hélène Zanolla

Crédit photos
Sygma : pp. 3, 23, 26, 28, 36, 40, 58

ISBN : 2.84113.678.7
D.L. septembre 2001.
Aubin Imprimeur, 86240 Ligugé
Impr. P 62380